ŒUVRES COMPLÈTES

ŒUVRES DE GRAHAM GREENE
Aux Éditions Robert Laffont

TUEUR A GAGES, roman, traduction de René Masson.
ROCHER DE BRIGHTON, roman, traduction de Marcelle Sibon.
LA PUISSANCE ET LA GLOIRE, roman, traduction de Marcelle Sibon.
LE FOND DU PROBLÈME, roman, traduction de Marcelle Sibon.
LE TROISIÈME HOMME, roman, traduction de Marcelle Sibon.
LE MINISTÈRE DE LA PEUR, roman, traduction de Marcelle Sibon.
LA FIN D'UNE LIAISON, roman, traduction de Marcelle Sibon.
LA PUISSANCE ET LA GLOIRE, pièce en sept tableaux de P. Bost, E. Darbon et P. Quet, d'après le roman de Graham Greene.
C'EST UN CHAMP DE BATAILLE, roman, traduction de Marcelle Sibon.
LIVING-ROOM, pièce en quatre tableaux et un épilogue, version française de Jean Mercure.
LES NAUFRAGÉS, roman, nouvelle traduction de « Mère Angleterre » par Marcelle Sibon.
UN AMÉRICAIN BIEN TRANQUILLE, roman, traduction de Marcelle Sibon.
QUI PERD GAGNE, roman, traduction de Marcelle Sibon.
SEIZE NOUVELLES, traduction de Marcelle Sibon.
NOTRE AGENT A LA HAVANE, roman, traduction de Marcelle Sibon.
LA SAISON DES PLUIES, roman, traduction de Marcelle Sibon.
A LA RECHERCHE D'UN PERSONNAGE, essai autobiographique, traduction de Marcelle Sibon.
L'AMANT COMPLAISANT, théâtre, adaptation française de Nicole et Jean Anouilh.
LES COMÉDIENS, roman, traduction de Marcelle Sibon.
POUVEZ-VOUS NOUS PRÊTER VOTRE MARI ? nouvelles, traduction de Marcelle Sibon.
VOYAGES AVEC MA TANTE, roman, traduction de Georges Belmont.
UN CERTAIN SENS DU RÉEL, nouvelles, traduction de Marcelle Sibon.
UNE SORTE DE VIE, essai autobiographique, traduction de Georges Belmont et Hortense Chabrier.
LE CONSUL HONORAIRE, roman, traduction de Georges Belmont et Hortense Chabrier.
ESSAIS, essais littéraires et portraits, traduction de Marcelle Sibon.

ELISABETH MOOR : LA DOTTORESSA, mémoires d'une femme impossible, mis en œuvre et présenté par GRAHAM GREENE. Récit traduction de Georges Belmont et Hortense Chabrier.

Chez d'autres éditeurs :

L'AGENT SECRET, roman, traduction de Marcelle Sibon (Le Seuil).
POURQUOI J'ÉCRIS, essai, traduction de Marcelle Sibon (Le Seuil).
VOYAGE SANS CARTES, récit, traduction de Marcelle Sibon (Le Seuil).
L'HOMME ET LUI-MÊME, roman, traduction de D. Clairouin (Plon).
ORIENT-EXPRESS, roman, traduction de D. Clairouin (Stock).
ROUTES SANS LOIS, traduction de Marcelle Sibon (La Table Ronde).

GRAHAM GREENE

LA FIN
D'UNE LIAISON

roman

traduit de l'anglais par Marcelle Sibon

ÉDITIONS ROBERT LAFFONT
PARIS

Titre original :
THE END OF THE AFFAIR

© Graham Greene, 1951
Traduction française : Éditions Robert Laffont, S.A., 1951

INTRODUCTION

La lente découverte de sa propre méthode est, pour le romancier, passionnante, mais il arrive un moment, au milieu de sa vie, où il se rend compte qu'il a perdu le contrôle de sa méthode ; il en est devenu le prisonnier. Alors commence une longue période d'ennui : il lui semble avoir déjà fait tout ce qu'il fait. Alors aussi, il appréhende plus de lire les critiques favorables que ceux qui lui sont défavorables, car les premiers, avec une patience terrible, étalent à ses yeux les invariables motifs du tapis. S'il a compté particulièrement sur son inconscient, sur sa capacité à oublier même ses livres, une fois qu'ils sont dans les bibliothèques et sur les étagères, le critique, lui, se souvient et lui rafraîchit la mémoire : tel thème est né il y a dix ans, telle comparaison, jaillie spontanément sous la plume voilà quelques semaines, a été utilisée il y a près de vingt ans dans un passage où...

J'avais tenté de m'évader de ma prison en écrivant pour le cinéma, mais *Le troisième homme* ne fit que m'entraîner vers une autre prison, plus luxueuse. Avant de revenir à ce que je considère comme mon vrai travail, je lus *Les grandes espérances*. Moi, qui, jusque-là, n'avais jamais tenu Dickens pour un écrivain très sympathique, je fus alors fasciné par l'apparente facilité avec laquelle il use de la première personne. Cela semblait être un moyen de s'écarter des normes, une méthode que je n'avais pas essayée. La première personne avait toujours offert un avantage technique évident : le point de vue choisi y trouvait une assurance contre toute tentation de s'écarter de la bonne route; « je » ne pouvais qu'observer ce que « j' » observais; mais lorsque j'avais rencontré la première personne comme l'employaient dans leurs romans M. Somerset Maugham et ses imitateurs, je l'avais toujours trouvée un petit peu trop facile et sèche, trop proche des maladresses incolores du discours humain.

Peut-être sèche et incolore, mais facile non. J'ai maintes fois regretté de suivre « je » le long de sa morne route et envisagé de recommencer *La fin d'une liaison* d'un bout à l'autre, en voyant Bendrix de l'extérieur à la troisième personne. Je n'avais jamais eu jusqu'alors à surmonter autant d'obstacles pour rendre le récit intéressant. Par exemple, comment parvenir à varier le « ton », si important, alors que c'était un seul personnage qui faisait tous les commentaires ? Le ton était fixé par Bendrix dès la première page : « Ceci est un récit de haine bien plus que d'amour », et j'avais peur de voir tout le livre desséché par cette haine comme du poisson fumé. Dickens avait miraculeusement varié le ton, mais si j'essayais d'analyser sa réussite, je me faisais l'effet d'un daltonien s'efforçant de reconnaître les couleurs grâce au seul intellect. Il n'y avait pour mon livre que deux nuances de la même couleur :

obsession de l'amour, obsession de la haine; M. Parkis, le détective privé, et son petit garçon représentant ma tentative pour introduire deux tons supplémentaires : l'humoristique et le pathétique.

Le roman se mit à vivre en décembre 1948, dans une chambre de l'hôtel Palma à Capri. J'ai toujours imaginé qu'il avait été influencé par l'ouvrage que je lisais alors : des morceaux choisis de l'œuvre du baron von Hügel, en particulier des passages de son étude sur sainte Catherine de Gênes. J'ai l'habitude d'annoter les livres que je lis et je ne trouve, dans ce qu'il écrit sur la sainte, aucune note en marge pouvant se rapporter à mon propos. Mais, dans un autre essai de Hügel, je trouve ces mots soulignés : « La purification et la lente transformation de l'Individu en une Personne, au moyen de l'Élément-chose, le Déterminisme en apparence aveugle de la Loi Naturelle et des Événements Naturels... Rien ne peut être plus certain que notre devoir d'admettre et de placer cet élément et cette force, incontestables et sans cesse plus envahissants, *quelque part* dans notre vie : si nous ne voulons pas les reconnaître comme moyen, ils s'imposeront à nous comme fin. »

Rien n'aurait pu être plus éloigné de la pensée de von Hügel que l'histoire qui commençait alors à me chatouiller l'esprit : celle d'un homme qui serait poussé et accablé par l'accumulation de coïncidences naturelles, jusqu'à croire qu'une de plus briserait l'excuse de la coïncidence. Hélas! ce fut une intention à laquelle je fus infidèle. Il y a dans ce livre beaucoup de choses que j'aime, il me semble qu'il est plus simplement et mieux écrit que les précédents, et qu'il est construit avec assez d'ingéniosité pour échapper à la monotonie de l'enchaînement chronologique dont j'ai parlé ailleurs. (Je m'étais instruit en lisant à plusieurs reprises le remarquable roman de Ford Madox Ford : *Quelque chose au cœur*[1]). Mais jusqu'au moment où j'attaquai la dernière partie, je ne me rendis pas compte du formidable problème que je m'étais posé.

Sarah était morte, et le livre aurait dû, après cette mort, se prolonger au moins d'autant de pages qu'il en comptait jusqu'alors; pourtant, comme Bendrix, je manquais d'appétit pour continuer, alors que mon principal personnage avait disparu sans espoir de retour en ne laissant derrière lui qu'un thème philosophique. Je me mis à courir vers la fin, et bien que, dans la dernière partie, il y ait des scènes, surtout celles où s'exprime l'affection grandissante entre Bendrix et le mari de Sarah, qui me paraissent assez réussies, je compris trop tard que j'avais triché, triché avec moi-même, avec le lecteur, comme avec le baron von Hügel. L'incident de la tache de vin n'avait pas place dans ce livre; tout prétendu miracle, comme la guérison du petit garçon de Parkis, aurait dû avoir une explication tout à fait naturelle. Les coïncidences auraient dû continuer au cours des années, harcelant l'esprit de Bendrix, le forçant à douter de son propre athéisme, fût-ce à regret. Les dernières pages seraient restées en quelque sorte, comme je les avais écrites (à dire vrai, j'aime beaucoup ces dernières pages); mais j'avais donné de l'éperon trop tôt.

---

[1] *The Good Soldier,* Ford Madox Ford.

C'est ainsi que dans cette édition j'ai tenté de revenir plus près de mon intention première. La tache de vin de Smythe est remplacée par une maladie de peau qui aurait pu avoir une origine nerveuse et être susceptible d'une guérison par la foi. Un épisode du livre que beaucoup de mes critiques n'ont pas aimé est la découverte que la mère de Sarah a fait donner en secret le baptême catholique à son enfant. Il semble au lecteur agnostique — avec qui je sympathise de plus en plus — que c'est introduire la notion de magie. Mais si nous devons croire à un pouvoir qui nous soit infiniment supérieur en puissance et en connaissance, la magie fait inévitablement partie de notre croyance — ou plutôt, le mot de magie est celui que nous employons pour le mystérieux et l'inexplicable — comme les stigmates du Padre Pio que j'ai vus à quelques pas de moi, pendant qu'il célébrait la messe de très bonne heure, dans son monastère en Italie du sud.

L'épisode du baptême secret de Sarah, je l'ai tiré de la vie de Roger Casement. L'aumônier de sa prison, à qui il avait demandé de le recevoir dans le sein de l'Église, découvrit, après enquête, que Casement avait été secrètement baptisé dans son enfance. Nous ne sommes pas nécessairement ici dans le royaume de la « magie » ou de la coïncidence; peut-être sommes-nous dans le pays de l'*Experiment with Time (Le temps et le rêve)* de John Dunne.

La fin d'une liaison eut plus de succès auprès des lecteurs que des critiques. J'avais tellement de doutes à son sujet que j'envoyai le manuscrit dactylographié à mon ami Edward Sackville-West en lui demandant son avis.

Fallait-il mettre le livre dans un tiroir et n'y plus penser ? Il me répondit franchement qu'il n'aimait pas ce roman, mais que, néanmoins, il fallait le publier : nous avions le devoir de montrer la vitalité des Victoriens qui n'hésitaient jamais à publier le mauvais autant que le bon. Je publiai donc. Je fus très réconforté par les éloges de William Faulkner, et je fus heureux par la suite d'avoir, pendant deux ans, pratiqué l'usage de la première personne : sans cet essai j'aurais eu peur de m'en servir dans *Un Américain bien tranquille,* roman qui l'exigeait et qui, du moins techniquement, est peut-être un livre plus réussi.

G. G. 1974

L'homme a des endroits de son pauvre cœur qui n'existent pas encore et où la douleur entre afin qu'ils soient.

Léon Bloy.

LIVRE PREMIER

CHAPITRE PREMIER

Une histoire n'a ni commencement, ni fin. Nous choisissons arbitrairement un point de notre expérience et, partant de ce point, nous regardons en arrière ou en avant. Je dis: « nous choisissons » avec cet orgueil erroné de l'écrivain de métier qui — dans les rares occasions où il fut vraiment pris au sérieux — se vit complimenter pour son habileté technique; mais, à vrai dire, est-ce bien de ma propre volonté que je « choisis » cette soirée sombre et mouillée de janvier 1946 et le moment où, sur les Allées, je vis Henry Miles traverser en biais le large fleuve de l'averse; et ces images ne m'ont-elles pas plutôt choisi? Il est commode, il est correct, pour respecter les règles de mon métier, de commencer exactement là, mais si, à cette époque, j'avais cru en un Dieu, n'aurais-je pas pu croire aussi qu'une main m'avait touché le coude et qu'une voix avait murmuré à mon oreille: « Parle-lui. Il ne t'a pas encore aperçu. »

Car, pourquoi lui aurais-je parlé? Si le mot haine n'est pas trop fort pour qu'on l'applique à un être humain, je haïssais Henry et je haïssais aussi sa femme, Sarah. Et lui, je suppose, se mit à me haïr peu de temps après les événements de ce soir-là, de même qu'il a dû par instants haïr sa femme, et l'autre, celui en qui nous avions alors la chance de ne pas croire. Aussi ceci est-il un récit de haine bien plus que d'amour, et s'il m'arrive de dire du bien d'Henry ou de Sarah, l'on pourra me croire : je me défends d'avance contre toute accusation de parti pris, parce que mon orgueil professionnel me pousse à préférer l'expression de la vérité, fût-elle la « proche-vérité », à l'expression de ma « proche-haine ».

C'était surprenant de voir Henry dans les rues par un temps pareil ; il aimait son bien-être, et après tout — je le pensais du moins — il avait Sarah. Pour moi, le bien-être ressemble à un souvenir importun qui nous vient au mauvais endroit et au mauvais moment : lorsqu'on se sent très seul, mieux vaut l'inconfort. Il y avait trop de bien-être même dans la chambre à coucher-salon que j'occupais du côté sud, le mauvais côté, des Allées, au milieu de meubles sortis d'un passé qui n'était pas le mien. J'eus l'idée de me promener sous la pluie et d'aller boire un verre au café du coin. Le petit vestibule étroit était encombré de chapeaux et de pardessus inconnus — le locataire du second recevait des amis — et je pris par mégarde un parapluie qui ne m'appartenait pas. Puis je tirai derrière moi la porte garnie de vitres de couleur et descendis avec précaution le perron démoli par une bombe en 1944 et qu'on n'avait jamais réparé. J'avais mes raisons pour me rappeler cet incident, et je savais que les affreux et épais vitraux de l'époque victorienne avaient supporté le choc de la même façon que nos grands-pères eux-mêmes l'auraient supporté.

Dès que j'abordai la traversée des Allées, je me rendis compte que je m'étais trompé de parapluie, car celui que je tenais prenait l'eau, laissant la pluie couler à l'intérieur du col de mon imperméable; c'est alors que j'aperçus Henry. J'aurais pu facilement l'éviter, il n'avait pas de parapluie et je pus voir à la lueur du réverbère que ses yeux étaient aveuglés par les gouttes d'eau. Les arbres noirs et sans feuilles n'offraient aucune protection; ils se dressaient autour des Allées comme des tuyaux de gouttières tronqués; l'averse ruisselait sur le bord du chapeau melon d'Henry et faisait des rigoles le long de son pardessus noir officiel de fonctionnaire civil. Si j'étais passé à côté de lui sans me retourner, il ne m'aurait pas vu, et j'aurais pu, pour en être sûr, m'écarter un peu du trottoir; mais je parlai:

— Henry, lui dis-je, vous vous faites bien rare.

Et je vis son regard s'éclairer comme à la vue d'un vieil ami.

— Bendrix, dit-il affectueusement, et pourtant aux yeux du monde c'est lui qui, plus que moi, avait le droit de haïr.

— Que faites-vous là, sous la pluie, Henry?

Il y a des hommes qui nous inspirent l'irrésistible besoin de les taquiner: ceux dont les vertus ne sont pas les nôtres.

Il répondit évasivement:

— Oh! j'avais besoin de prendre l'air.

Nous fûmes balayés par une brusque bourrasque de vent et de pluie et il eut tout juste le temps de rattraper son chapeau qui fuyait en tourbillonnant vers les façades nord des Allées.

— Comment va Sarah ? demandai-je, parce qu'il eût paru étrange que je ne le fisse pas et pourtant rien ne m'aurait été plus agréable que d'apprendre qu'elle était malade, malheureuse, mourante.

Je croyais à cette époque que toutes les souffrances qu'elle endurerait allégeraient les miennes, et que sa mort me rendrait la liberté, parce que je n'imaginerais plus toutes les choses qu'on imagine dans la situation humiliante où je me trouvais. Je pourrais même aimer ce pauvre serin d'Henry, pensais-je, si Sarah était morte.

— Oh ! elle passe la soirée je ne sais où, dit-il, réveillant par ces mots le démon qui s'agitait dans mon cerveau, au souvenir d'autres jours où Henry avait dû faire cette même réponse à ceux qui l'interrogeaient alors que j'étais seul à savoir où se trouvait Sarah.

— Si nous allions boire quelque chose, lui proposai-je.

Et, à ma grande surprise, il m'emboîta le pas. Jamais nous n'avions bu ensemble, hors de chez lui.

— Il y a bien longtemps que nous ne vous avons vu, Bendrix.

Je suis, je ne sais pourquoi, l'homme qu'on ne connaît que sous son nom de famille. J'aurais pu ne jamais avoir été baptisé pour tout l'usage que font mes amis du prénom assez prétentieux de Maurice que je dois à des parents aux tendances littéraires.

— Très longtemps.

— Mais, cela doit faire... plus d'un an...

— Juin 1944, répondis-je.

— Tant que ça !... eh bien ! eh bien !...

Quel imbécile, pensai-je. L'imbécile qui ne voit rien

de suspect dans un silence d'un an et demi. Moins de cinq cents mètres de pelouse plate séparaient nos deux « côtés ». Ne lui était-il jamais venu à l'idée de dire à Sarah : « Je me demande ce que devient Bendrix. Si nous invitions Bendrix ? » Et les réponses de sa femme ne lui avaient-elles jamais semblé... étranges, évasives, suspectes ? J'avais disparu de leur horizon aussi complètement qu'une pierre qui s'enfonce dans une mare. Sans doute les remous de ce plongeon avaient-ils troublé Sarah pendant une semaine, voire un mois... mais lui, Henry, était pourvu de solides œillères. J'avais détesté ces œillères, même au temps où j'en profitais, parce que je savais que d'autres pouvaient en profiter comme moi.

— Est-elle au cinéma ?

— Oh ! non, elle n'y va presque jamais.

— Elle y allait autrefois.

Les Armes-de-Pontefract[1] se paraient encore de leurs décorations de Noël : guirlandes et cloches de papier, résidus de réjouissances commerciales dans les tons mauves et orange, et la jeune propriétaire du bar, les seins appuyés sur le comptoir, contemplait ses clients d'un air de dédain.

— Joli, dit sans conviction Henry.

Il semblait perdu, intimidé, et cherchait partout un endroit où il pourrait accrocher son chapeau. J'eus l'impression qu'il n'avait jamais mis les pieds dans un bar public et que le seul endroit de ce genre qu'il fréquentât était, près de Northumberland Avenue, le

---

[1] Pontefract : petite ville du Yorkshire.

grill-room où il déjeunait en compagnie de ses collègues du ministère.

— Que prenez-vous ?

— J'aimerais assez un whisky.

— Moi aussi, mais il faudra vous contenter de rhum.

Nous nous assîmes à une table et nous restâmes un moment à tripoter nos verres : je n'avais jamais eu grand-chose à dire à Henry. Je me demande si j'aurais jamais pris la peine de faire la connaissance d'Henry ou de Sarah si je n'avais commencé en 1939 à écrire un roman dont le personnage principal était un haut fonctionnaire civil. Henry James, discutant un jour avec Walter Besant, disait qu'une jeune femme, pourvu qu'elle eût du talent, n'avait, en passant devant le mess d'une caserne de Gardes, qu'à jeter un regard à l'intérieur par une fenêtre pour écrire un roman sur la brigade, mais je crois qu'à un certain moment de son livre cette même jeune femme serait forcée, pour vérifier certains détails, de coucher avec un Garde. Je n'allai pas exactement jusqu'à coucher avec Henry, mais je fis ce qui en approchait le plus, et le premier soir où j'emmenai Sarah dîner, j'avais l'intention cynique d'exploiter les connaissances d'une épouse de fonctionnaire civil. Elle ne savait rien de mes projets ; elle s'imaginait, j'en suis sûr, que je m'intéressais sincèrement à sa vie de famille et c'est peut-être ce qui fit naître l'affection qui la poussa d'abord vers moi. Je lui demandai :

— A quelle heure Henry prend-il son petit déjeuner ? Emprunte-t-il le métro, l'autobus ou un taxi pour se rendre à son bureau ? Rapporte-t-il du travail à faire chez lui le soir ? Possède-t-il une serviette de cuir marquée aux armes royales ?

Notre amitié s'épanouissait à la chaleur de ma curiosité : Sarah était si contente que quelqu'un prît Henry au sérieux. Henry était important, mais son importance, à la manière de celle d'un éléphant, était fonction de la taille de son service; il y a de ces sortes d'importance qui demeurent désespérément vouées au manque de sérieux. Henry était un important sous-secrétaire du Ministère des pensions — qui devint dans la suite le Ministère de la sécurité nationale. Je devais m'en moquer plus tard, à l'une de ces heures où l'on déteste sa partenaire et où l'on frappe avec n'importe quelle arme... Il vint un moment où je révélai délibérément à Sarah que je n'étais entré en relations avec Henry que pour tirer de lui de la copie et pour créer un personnage ridicule, qui apporterait un élément comique à mon roman: alors, naturellement, elle se mit à détester mon livre. Elle montrait une grande loyauté envers Henry (je ne pourrai jamais dire le contraire), et dans ces heures ténébreuses où le démon s'emparait de mon esprit, et où même l'inoffensif Henry parvenait à m'irriter, je me servais de mon roman et j'inventais des épisodes trop crus pour être écrits... Une fois que Sarah avait passé toute la nuit avec moi (j'avais attendu cette nuit-là aussi impatiemment qu'un écrivain s'apprête à écrire le dernier mot de son livre), j'avais brusquement tout gâté par une parole fortuite et j'avais rompu le charme de ce qui semblait être parfois pendant des heures successives, un amour parfait. Je m'étais endormi, vers deux heures du matin, d'un sommeil morne d'où j'étais sorti à trois heures; alors, en posant ma main sur son bras, j'avais éveillé Sarah. Je crois bien que mon intention était de tout arranger, jusqu'à l'instant où ma victime tourna vers moi son visage plein de confiance, brouillé et beau de sommeil. Elle avait oublié notre querelle et je trouvai dans cet oubli même une nouvelle cause d'animosité. Comme nous sommes compliqués, nous autres humains ! et l'on dit pourtant qu'un Dieu nous créa; mais je trouve difficile d'imaginer un Dieu qui ne soit pas aussi simple qu'une équation parfaite, aussi limpide que l'air.

— Je suis resté éveillé, dis-je à Sarah, parce que je réfléchissais à mon chapitre V. Est-ce qu'il arrive à Henry de croquer des grains de café pour se parfumer l'haleine avant une conférence importante?

Elle secoua la tête et se mit à pleurer en silence, et moi, je fis semblant, bien entendu, de ne pas comprendre la raison de ses larmes... c'était une simple question, ce point m'avait inquiété, pour la vérité de mon personnage, ce n'était pas une attaque contre Henry, les gens les plus sympathiques croquent des grains de café, de temps en temps... Et je continuai sur ce ton. Elle pleura un petit moment, puis s'endormit. Elle avait un bon sommeil, et même sa possibilité de dormir m'apparaissait comme une offense supplémentaire.

Henry but son verre de rhum d'un seul trait, tandis que son regard perdu errait misérablement parmi les serpentins mauves et orange.

— Votre Noël s'est bien passé? lui demandai-je.

— Très bien, très bien, répondit-il.
— Chez vous?

Henry leva les yeux vers moi comme si, en prononçant ces deux mots, ma voix lui avait paru étrange.

— Chez nous? Oh! oui, bien entendu.
— Et Sarah va bien?
— Très bien.
— Un autre rhum?
— C'est ma tournée.

Pendant qu'Henry allait chercher au bar les deux consommations, je me rendis à la toilette. Les murs en étaient barbouillés de phrases telles que: « Merde pour le patron et les nichons de sa femme », « A tous les marlous et les putains une bonne syphilis et une joyeuse blennorragie. » Je revins en hâte parmi les allègres serpentins de papier et le cliquetis des verres. Il m'arrive d'apercevoir ma propre image reflétée par les autres hommes, de trop près pour le repos de mon esprit; à ces moments-là, je suis pris d'un grand désir de croire aux saints et aux vertus héroïques.

Je répétai à Henry les deux phrases que j'avais lues. Je voulais le choquer, et je fus surpris de l'entendre dire avec simplicité:

— La jalousie est une chose terrible.
— Vous voulez parler des nichons de la femme?...
— Des deux inscriptions. Quand on est malheureux, on envie le bonheur des autres.

Cela ne correspondait pas du tout à mon idée de la science qu'il avait pu acquérir au Ministère de la sécurité nationale. Il y a dans ces paroles tant d'amertume qu'elle s'écoule encore de ma plume. Quelle qualité morne et sans vie, cette amertume! Si je le pouvais, j'écrirais avec amour, mais si je pouvais écrire avec amour, je serais un autre homme: je n'aurais jamais perdu l'amour. Et pourtant, brusquement, de l'autre côté de la surface polie de cette table de café, je sentis surgir quelque chose, rien d'aussi excessif que de l'amour, rien de plus peut-être que la présence d'un compagnon d'infortune.

— Est-ce que vous êtes malheureux? demandai-je à Henry.

— Bendrix, je suis très tourmenté.

— Racontez.

Je suppose que c'est le rhum qui le fit parler, à moins qu'il ne se doutât en partie de ce que je savais sur lui. Sarah était loyale, mais au cours de relations comme l'avaient été les nôtres, on ne peut manquer de recueillir un ou deux petits renseignements... Je savais qu'il avait un grain de beauté à gauche du nombril, parce que, sur mon propre corps une marque de naissance l'avait un jour rappelé à Sarah; je savais qu'il souffrait de myopie, mais refusait de porter des lunettes en présence d'étrangers (et j'étais encore assez peu son ami pour ne lui en avoir jamais vu); je savais qu'il aimait prendre du thé à dix heures, je savais même comment il dormait. Se pouvait-il qu'il eût conscience que j'en savais déjà tellement qu'un fait de plus ne changerait rien à nos rapports?

— Je suis inquiet au sujet de Sarah, Bendrix, dit-il.

La porte du bar s'ouvrit et je pus voir à contre-jour la pluie battante. Un petit homme hilare entra comme une flèche, en criant:

— B'soir, tout le monde !

Personne ne lui répondit.

— Est-elle malade ? Il me semble que vous m'avez dit...

— Non, non, pas malade, je ne crois pas.

Il regarda autour de lui d'un air de détresse : ce n'était pas son *milieu*[1]. Je remarquai qu'il avait le blanc des yeux injecté de sang ; peut-être avait-il négligé de porter ses lunettes... il y a toujours partout tant d'étrangers !... peut-être était-ce la trace de larmes récentes.

— Bendrix, dit-il, je ne peux pas vous parler ici. (Comme s'il avait eu pour habitude de me parler, où que ce fût.) Allons à la maison.

— Sarah sera-t-elle rentrée ?

— Je ne crois pas.

Je payai les consommations, et là encore, j'eus un témoignage du trouble qui agitait Henry, car il n'acceptait pas facilement les invitations. Il était celui qui au sortir d'un taxi tient à la main l'argent de la course au moment où les autres fouillent encore dans leurs poches. Les Allées ruisselaient toujours de pluie, mais la maison d'Henry n'était pas loin. Il ouvrit avec sa propre clef la porte surmontée d'une imposte Reine Anne, et appela :

— Sarah, Sarah !

J'espérais et redoutais à la fois la réponse, mais aucune réponse ne vint.

— Elle est encore dehors, dit-il. Venez dans mon bureau.

---

[1] En français dans le texte.

Je n'étais jamais entré dans son bureau; j'avais toujours été l'ami de Sarah, et quand je rencontrais Henry, c'était sur le territoire de Sarah, dans son salon disparate, où aucun objet ne s'accordait avec un autre, où rien n'était d'époque et n'avait de raison de se trouver là, où tout paraissait dater de moins d'une semaine, parce que rien n'y demeurait jamais pour témoigner d'un goût passé ou d'un sentiment passé. Tout ce qu'on y voyait servait à quelque chose, tandis qu'en entrant dans le bureau d'Henry, j'eus l'impression que les objets n'y étaient presque jamais maniés. Je me demandai si ces *Œuvres de Gibbon* avaient été ouvertes; quant à la collection complète des romans de Scott, elle ne figurait là que parce qu'elle avait — probablement — appartenu à son père, ainsi que la reproduction en bronze du Discobole. Pourtant, il se sentait heureux dans cette pièce inutilisée, plus qu'ailleurs, simplement parce que c'était la sienne: sa propriété. Je pensai avec amertume: lorsqu'on possède une chose en toute sécurité, on n'a pas besoin d'en faire usage.

— Whisky? dit Henry.

Je me rappelai ses yeux et me demandai s'il s'était mis à boire. Certes, les verres de whisky qu'il versa représentaient de généreuses doubles rations.

— Qu'est-ce qui vous tracasse, Henry? lui demandai-je.

J'avais abandonné depuis longtemps le roman du haut fonctionnaire: je n'étais plus en quête de copie.

— Sarah.

Aurais-je eu peur s'il m'avait répondu cela, exactement de cette façon, deux ans auparavant ? Non. Je crois que j'aurais été inondé de joie : on finit par être las, désespérément las du mensonge. J'aurais volontiers accepté la guerre ouverte, ne serait-ce que parce qu'elle m'aurait donné, dans le cas où Henry commettrait une erreur de tactique, une chance, si petite fût-elle, d'en sortir victorieux. Et il n'y a jamais eu dans toute ma vie, avant ou depuis, d'époque où j'aie eu autant envie de vaincre. Même mon désir d'écrire un bon livre n'a jamais été aussi violent.

Henry leva vers moi ses yeux bordés de rouge et dit :
— Bendrix, j'ai peur.

Je ne pouvais plus le traiter avec condescendance : il avait acquis ses titres de misère : il était passé par la même école que moi, et pour la première fois je pensai à lui comme à mon égal. Je me rappelle qu'il y avait, sur son bureau, dans un cadre à croisillons, une des premières photographies de couleur bistre, qui représentait son père, et qu'en la regardant je pensai que cette photographie ressemblait étonnamment à Henry (elle avait été prise vers le même âge, quarante-cinq ans) et qu'en même temps les deux visages étaient dissemblables. Ce n'était pas la moustache qui les rendait si différents, mais cet aspect victorien d'absolue confiance, cet air d'être bien chez soi dans la vie, de savoir se tirer de toutes les situations ; et je sentis monter en moi, pour la seconde fois, une brusque bouffée de confraternité amicale. Je l'aimais mieux que je n'aurais aimé son père (qui avait occupé un poste aux Finances). Nous étions, Henry et moi, compagnons d'exil.

— De quoi avez-vous peur, Henry ?

Il se laissa tomber dans un fauteuil comme si quelqu'un l'avait poussé et dit avec dégoût :

— Bendrix, j'ai toujours pensé que la pire chose, vraiment la pire qu'un homme puisse faire...

Certes, en d'autres temps, ces paroles m'eussent mis sur des charbons ardents : comme elle me parut étrange, et infiniment morne, la sérénité de l'innocence.

— Vous savez que vous pouvez vous fier à moi, Henry.

Il est possible, pensais-je, qu'elle ait conservé une lettre, bien que je lui en aie envoyé fort peu. C'est un risque professionnel que courent les écrivains. Les femmes ont tendance à exagérer l'importance de leur amant et elles ne prévoient jamais le jour décevant où dans un catalogue d'autographes une missive très intime portera l'étiquette « intéressante », suivi du prix : cinq shillings.

— Alors, jetez un coup d'œil là-dessus.

Il me tendit une lettre : ce n'était pas mon écriture.

— Allez. Lisez-la, dit-il.

Elle venait d'un de ses amis qui lui écrivait :

Je conseille à celui que vous désirez aider de s'adresser à un type nommé Savage, 159, Vigo Street. Il m'a paru capable et discret et ses employés moins répugnants que ne le sont habituellement ce genre d'individus.

— Je ne comprends pas, Henry.

— J'avais écrit à cet homme pour lui dire qu'une

de mes connaissances m'avait demandé conseil au sujet d'agences de police privée. C'est affreux, Bendrix... Il n'a sûrement pas été dupe.

— Vous voulez dire que...

— Je n'ai encore fait aucune démarche, mais cette lettre reste là, sur mon bureau, comme un rappel... Cela semble absurde, n'est-ce pas, d'avoir si totalement confiance en ma femme que je ne crains pas qu'elle la lise, bien qu'elle entre ici vingt fois par jour (je ne l'ai même pas mise dans un tiroir), et pourtant, de me méfier... Elle est partie en promenade, ce soir, en *promenade*, Bendrix !

Il s'était mal abrité aussi contre la pluie : il approcha le bord de sa manche du réchaud à gaz.

— Je suis désolé.

— Vous avez toujours été un de ses meilleurs amis, Bendrix. On dit couramment, n'est-ce pas, qu'un mari est le dernier à savoir vraiment quel genre de femme... Quand je vous ai vu ce soir sur les Allées, j'ai pensé que j'allais vous en parler, et que si mes craintes vous faisaient rire, j'aurais la force de brûler cette lettre.

Il restait là, le regard ailleurs, son bras mouillé tendu. Je n'avais jamais eu moins envie de rire, et j'aurais pourtant bien voulu rire, si j'avais pu.

— Ce n'est pas le genre de situation qui pousse à rire, dis-je, même s'il est tout à fait extravagant de croire...

— N'est-ce pas que c'est extravagant, dit-il en me regardant d'un air suppliant, vous pensez au fond que je suis un imbécile...

J'aurais éclaté de rire volontiers un moment avant,

mais n'ayant maintenant qu'un mensonge à faire, toute mon ancienne jalousie se réveilla. Un mari et une femme sont-ils faits de la même chair au point que l'on doive haïr le mari parce que l'on hait la femme? Sa question me rappelait combien il avait été facile de le tromper : si facile que pour un peu, je l'aurais cru complice des infidélités de sa femme, comme l'homme qui laisse traîner des billets de banque dans une chambre d'hôtel se fait le complice du voleur, et je le détestais à cause de ce qui chez lui avait jadis servi mon amour.

Une buée montait de la manche de son veston tendu vers la flamme, tandis qu'il répétait, en évitant toujours de me regarder :

— Oui, je le vois bien, vous pensez que je suis un imbécile.

Alors le démon parla.

— Mais non, Henry, je ne pense pas du tout que vous soyez un imbécile.

— Vous voulez dire que vous croyez en somme la chose... possible ?

— Bien sûr, c'est possible. Sarah est humaine.

— Et j'avais toujours cru que vous étiez son ami, répliqua-t-il avec indignation, comme si j'étais l'auteur de la lettre.

— Il va de soi, dis-je, que vous la connaissez beaucoup mieux que je ne l'ai jamais connue.

— Sous certains aspects, dit-il d'un air sombre.

Et je compris qu'il pensait précisément aux aspects sous lesquels je la connaissais le mieux.

— Vous m'avez demandé, Henry, si je pensais que vous étiez un imbécile. J'ai répondu simplement que votre idée n'avait rien d'imbécile. Je n'ai pas attaqué Sarah.

— Je le sais, Bendrix. Je m'excuse. Je dors mal depuis quelque temps. Je m'éveille au milieu de la nuit en me demandant ce que je vais faire au sujet de cette misérable lettre.

— Brûlez-la.

— Je voudrais le pouvoir.

Il la tenait encore à la main et pendant quelques minutes je crus vraiment qu'il allait la faire flamber.

— Sinon, allez voir Mr Savage.

— Mais devant lui, je ne pourrai pas prétendre que je ne suis pas son mari. Imaginez, Bendrix, ce que ce doit être que de s'asseoir devant un bureau, dans un fauteuil où se sont assis tous les autres maris jaloux, pour raconter la même histoire... Pensez-vous qu'il y ait un salon d'attente où nous puissions nous dévisager avant d'être introduits ?

« Bizarre, pensai-je; on croirait presque qu'Henry est doué d'imagination. » Je sentis vaciller le sentiment de ma supériorité et je fus repris du désir de le taquiner.

— Voulez-vous que j'y aille, Henry ? dis-je.

— Vous ?

Je me demandai, un instant, si je n'avais pas exagéré, si Henry lui-même ne commencerait pas à avoir des soupçons.

— Mais oui, dis-je, jouant avec le danger, car peu importait désormais qu'Henry connût une partie du passé. Cela lui ferait du bien et cela lui apprendrait peut-être à mieux dominer sa femme.

— Je pourrais, poursuivis-je, faire semblant d'être

un amant jaloux. Les amants jaloux sont plus respectables, moins ridicules que les maris jaloux. Ils sont étayés par tout le poids de la littérature. Les amants trompés sont tragiques, ils ne sont jamais comiques. Pensez à Troilus. Je ne serai pas blessé dans mon *amour-propre*[1] en m'expliquant avec Mr Savage.

La manche d'Henry était sèche, mais il continuait à la tenir près du feu, si près que l'étoffe commençait à roussir.

— Feriez-vous vraiment cela pour moi, Bendrix ? demanda-t-il.

Ses yeux s'emplirent de larmes ; et l'on eût dit qu'il n'avait ni espéré, ni mérité cette preuve suprême d'amitié.

— Naturellement. Votre manche brûle, Henry.

Il la regarda comme si elle appartenait à quelqu'un d'autre.

— Mais c'est grotesque, dit-il, je ne sais pas ce qui m'a pris. D'abord de vous raconter cela, ensuite de vous demander... On ne peut espionner sa femme par l'intermédiaire d'un ami... et laisser cet ami prétendre qu'il est son amant.

— Oh ! ça ne se fait pas, dis-je, pas plus qu'on ne se livre à l'adultère ou à l'escroquerie, pas plus qu'on ne prend la fuite devant l'ennemi. Les choses « qui ne se font pas » se font tous les jours, Henry. Elles font partie de la vie moderne. Je me suis, moi-même, livré à la plupart de ces actes.

— Vous êtes un chic type, Bendrix, dit-il. Tout ce

---

[1] En français dans le texte.

dont j'avais besoin, c'était d'une conversation à cœur ouvert, afin de m'éclaircir les idées.

Cette fois, il offrit vraiment la lettre à la flamme du gaz. Quand il en eut posé le dernier fragment dans le cendrier, je dis :

— Le nom est Savage et l'adresse soit 159, soit 169, Vigo Street.

— Oubliez-le, me demanda Henry. Oubliez tout ce que je vous ai raconté. Cela n'a pas le sens commun. J'ai d'affreuses migraines ces temps-ci. Il faut que je consulte un médecin.

— J'entends la porte, dis-je, c'est Sarah qui rentre.

— A moins, dit-il, que ce ne soit la bonne. Elle était au cinéma.

— Non, c'est le pas de Sarah.

Il alla jusqu'à la porte et l'ouvrit et les lignes de son visage reprirent automatiquement le dessin banal de l'affection et de la douceur. J'avais toujours été irrité par cette réaction mécanique à la présence de Sarah parce qu'elle ne signifiait rien. On n'accueille pas invariablement avec joie la présence d'une femme, même lorsqu'on en est amoureux ; et je croyais Sarah quand elle me disait qu'ils n'avaient jamais été amoureux. Il y avait plus d'authenticité dans mon accueil, croyais-je, à mes moments de haine et de méfiance. Pour moi, du moins, elle était une personne en propre, elle ne faisait pas partie d'une maison comme un objet de porcelaine qu'il faut manier avec précaution.

— Sa-rah, appela-t-il. Sa-rah ! en détachant les syllabes avec une insoutenable affectation.

Comment pourrais-je la rendre vivante aux yeux

d'un étranger, dans l'attitude où elle s'immobilisa au milieu du vestibule, au pied de l'escalier, la tête tournée vers nous? Je n'ai jamais pu décrire même mes personnages de roman qu'en les faisant agir. J'ai toujours eu l'impression que dans un roman le lecteur devait avoir le droit d'imaginer l'aspect d'un personnage à la manière qui lui convient: je n'ai pas le désir de lui fournir des illustrations toutes faites. Me voici trahi par ma propre technique, car je ne veux pas qu'une autre femme soit substituée à Sarah. Je veux que le lecteur voie bien le large front et la bouche hardie qui n'appartiennent qu'à elle, et sa forme de crâne, mais tout ce que je puis évoquer est une apparition vague vêtue d'un imperméable ruisselant qui se dresse devant nous en disant: « Oui, Henry », et ajoute:

— Vous!

Elle m'avait toujours appelé: Vous. « Allo, est-ce vous? » au téléphone. « Pouvez-vous, voulez-vous, savez-vous? » de sorte que stupidement j'imaginais l'espace de quelques minutes, qu'il n'existait au monde qu'un seul « vous » et que c'était moi.

— Quel plaisir de vous voir! dis-je (j'étais dans un de mes moments de haine). Vous rentrez de promenade?

— Oui.

— Affreux temps, ce soir, poursuivis-je sur un ton accusateur.

Et Henry ajouta, avec une inquiétude ostensible:

— Tu es trempée, Sarah. Un de ces jours, tu attraperas la mort.

Il arrive parfois qu'un *cliché*[1] plein de sagesse populaire tombe dans une conversation comme une note frappée par le destin. Pourtant, même si nous avions su ce jour-là qu'Henry disait la vérité, je me demande si lui ou moi aurions senti percer pour Sarah une angoisse sincère à travers l'écran de nos propres nerfs, de notre méfiance et de notre haine.

---

[1] En français dans le texte.

CHAPITRE II

Je ne saurais dire combien de jours s'écoulèrent. Ma vieille angoisse était revenue et, dans cet état de ténèbres, l'on ne peut pas plus compter les jours qu'un aveugle ne s'aperçoit des changements de lumière. Fut-ce le septième ou le vingt et unième jour que je décidai de la ligne de conduite à adopter? J'ai, au bout de trois ans, un vague souvenir d'avoir attendu, à la lisière des Allées, près du bassin, ou sous le porche XVIIIe siècle de l'église, guettant de loin leur maison, dans l'espoir hasardeux que la porte allait s'ouvrir et que Sarah en descendrait les marches bien astiquées que le bombardement avait épargnées. L'heure propice ne sonna jamais. La saison pluvieuse avait pris fin, suivie de belles nuits de gelée; mais semblables aux personnages d'un baromètre détraqué, ni l'homme, ni la femme ne sortaient de la maison; je ne voyais plus Henry traverser les Allées à la tombée de la nuit. Peut-être avait-il honte des confidences qu'il m'avait faites, car c'était un homme attaché aux conventions. J'écris cette phrase en persiflant, et pourtant si je m'examine, je ne trouve en moi qu'admiration et confiance à l'endroit des conventions. Elles ressemblent à ces villages qu'on aperçoit lorsqu'on passe en voiture sur la grand-route et qui, sous leur chaume et dans leurs pierres, ont un air paisible, évocateur de repos.

Je me souviens qu'au cours de ces jours (ou semaines) de ténèbres, je rêvais fréquemment de Sarah. Je m'éveillais parfois avec une sensation de douleur, parfois de plaisir. Lorsqu'une femme occupe vos pensées toute la journée, on ne devrait pas, par surcroît, rêver d'elle la nuit. J'essayais d'écrire un livre qui se refusait, simplement, à venir. J'alignais mes cinq cents mots quotidiens, mais mes personnages ne se mettaient pas à vivre. Dans le fait d'écrire, tant de choses dépendent de la superficialité de nos journées. On peut être préoccupé par des achats à faire, des impôts à payer, des conversations fortuites, mais le fleuve de l'inconscient continue de couler librement, il résout les problèmes, dresse des plans; on s'assied devant son bureau, découragé, le cerveau stérile, et brusquement les mots arrivent, les situations qui paraissaient figées au fond d'une impasse sans issue évoluent d'elles-mêmes; le travail s'est fait pendant qu'on dormait, qu'on courait les magasins ou qu'on bavardait avec des amis. Mais c'était alors sur ma haine, ma défiance, mon désir violent de destruction, que s'exerçait ce travail du subconscient, parce qu'ils vivaient en moi plus profondément que mon livre; de sorte qu'un matin, en m'éveillant, je sus comme si j'en avais formé le projet la veille au soir, que ce jour-là, j'irais rendre visite à Mr Savage.

Quel ramassis étrange composent les professions que nous investissons de notre confiance! Un homme a confiance en son notaire, en son médecin (en son confesseur aussi, je suppose, quand cet homme est catholique), et ce jour-là j'ajoutai à la liste, en son détective privé. Henry avait tout à fait tort de croire qu'on risquait d'être dévisagé par les autres clients. Le bureau avait deux salles d'attente et l'on m'introduisit, seul, dans l'une des deux. C'était curieusement différent de ce qu'on s'attendait à trouver dans Vigo Street: il y régnait quelque chose de l'air moisi qu'on respire dans le vestibule d'un notaire, combiné avec un choix de magazines illustrés luxueux qui évoquait un salon de dentiste; il y avait *Harper's Bazaar, Life,* et toute une collection de journaux de mode français; l'homme qui m'introduisit était un peu trop empressé et trop bien habillé. Il installa un fauteuil près du feu et s'assura minutieusement que la porte était bien fermée. J'avais l'impression d'être un malade, et sans doute étais-je un malade, assez gravement atteint pour qu'on essayât sur lui le célèbre traitement de choc contre la jalousie.

La première chose que je remarquai chez Mr Savage fut sa cravate. Je pense qu'elle était l'insigne de quelque association d'anciens élèves. La seconde, c'est sa peau rasée de près sous une légère couche de poudre et son front où la ligne des cheveux pâles reculait et qui brillait comme un phare de compréhension, de sympathie, de désir anxieux de se rendre utile. Je sentis, en lui serrant la main qu'il me tordait les doigts d'une manière curieuse. Je suppose qu'il devait être franc-maçon, et que si j'avais pu lui rendre sa torsion il m'aurait probablement fait des conditions spéciales.

— Mr Bendrix, dit-il, asseyez-vous. Je crois que ce fauteuil-ci est le meilleur.

Il tapota un coussin et resta debout près de moi avec sollicitude jusqu'à ce que je me fusse laissé aller dans le fauteuil. Il tira ensuite une chaise et s'assit à côté de moi comme s'il se disposait à me tâter le pouls.

— Maintenant vous allez tout me raconter en vos propres termes.

Je ne puis imaginer quels termes j'aurais pu employer sinon les miens. Je me sentais gêné et plein d'amertume. Je n'étais pas venu chercher de la sympathie, j'étais venu acheter, si le prix n'en dépassait pas mes moyens, une aide matérielle.

Je me mis à parler :

— Je ne sais pas quel est votre tarif pour une filature.

Mr Savage caressa doucement sa cravate rayée.

— Ne vous inquiétez pas de cela maintenant, Mr Bendrix. Je demande trois guinées pour cette consultation préliminaire, mais si vous désirez ne pas aller plus loin, je ne vous fais rien payer, rien du tout. En somme, il n'y a pas de meilleure publicité (il introduisit son *cliché*[1] comme un thermomètre) qu'un client satisfait.

Placés dans la même situation, je suppose que nous nous conduisons tous à peu près de la même manière et que nous prononçons tous les mêmes paroles.

— C'est un cas très simple, dis-je, avec la sensation exaspérante que Mr Savage connaissait d'avance exactement, sans que j'eusse ouvert la bouche, l'histoire

---

[1] En français dans le texte.

que j'allais lui raconter. Rien de ce que j'avais à dire n'était nouveau pour Mr Savage, rien de ce qu'il allait exhumer qui n'eût été déjà déterré des douzaines de fois au cours de cette même année. Il peut arriver à un docteur d'être déconcerté par un malade, mais Mr Savage était un spécialiste qui ne traitait qu'une seule maladie dont il connaissait jusqu'au moindre symptôme.

— Prenez votre temps, Mr Bendrix, me dit-il, avec une atroce douceur.

Je commençais à m'embrouiller comme tous ses autres malades.

— Il n'y a en réalité pas le moindre indice, lui dis-je.

— Ah! c'est mon métier d'en trouver, dit Mr Savage. Contentez-vous d'évoquer pour moi un état d'esprit, une atmosphère. Je présume que nous parlons en ce moment de Mrs Bendrix?

— Pas exactement.

— Mais elle vit sous ce nom?

— Pas du tout. Vous vous trompez complètement. Il s'agit de la femme d'un de mes amis.

— Et c'est de sa part que vous venez?

— Non.

— Peut-être la dame et vous êtes-vous... intimes?

— Non. Je ne l'ai vue qu'une fois depuis 1944.

— Je crains de ne pas très bien vous comprendre. Il s'agit, avez-vous dit, de faire surveiller quelqu'un.

Je ne m'étais pas rendu compte jusque-là à quel point il me mettait en colère.

— Ne peut-on aimer ou haïr aussi longtemps que

cela? lui lançai-je au visage. Ne vous y trompez pas. Je ne suis pour vous qu'un client jaloux de plus. Je n'ai pas la prétention d'être différent des autres, mais dans mon cas, il y a eu un décalage de temps.

Mr Savage posa sa main sur ma manche, comme si j'étais un enfant difficile.

— La jalousie n'a rien de déshonorant, Mr Bendrix. Je la salue toujours comme la marque du véritable amour. Bien. Cette dame dont nous parlons, vous avez des raisons de croire qu'elle est... intime avec un autre homme?

— Son mari croit qu'elle le trompe. Elle va à des rendez-vous mystérieux. Elle ment lorsqu'elle raconte d'où elle vient. Elle a... des secrets.

— Ah! ah! des secrets.

— Peut-être que cela ne cache rien du tout, bien entendu.

— D'après ma longue expérience, Mr Bendrix, cela cache presque invariablement quelque chose.

Comme s'il m'avait alors suffisamment rassuré pour pouvoir aborder la question du traitement à suivre, Mr Savage retourna à son bureau et se prépara à écrire. Nom. Adresse. Occupation du mari. Le crayon levé, prêt à prendre une note, Mr Savage demanda:

— Mr Miles est-il au courant de cette entrevue?

— Non.

— Notre homme ne doit pas se montrer à Mr Miles?

— Certainement pas.

— Ce sera une complication de plus.

— Je lui montrerai peut-être vos rapports un peu plus tard. Je ne sais pas.

— Pourriez-vous me fixer certains faits concernant leur maison ? Ont-ils une bonne ?
— Oui.
— Quel âge ?
— Je ne sais pas au juste. Trente-huit ans.
— Vous ne savez pas si elle a des amoureux ?
— Non. Et j'ignore le nom de sa grand-mère.

Mr Savage m'adressa un sourire patient. Je crus pendant un moment qu'il allait quitter son bureau et venir me donner une nouvelle tape amicale sur le dos, pour m'apaiser.

— Je vois, Mr Bendrix, que vous n'avez pas l'habitude des enquêtes. Une servante n'est jamais étrangère à l'affaire. Si elle veut bien, la bonne peut nous renseigner très utilement sur les habitudes de sa maîtresse. Vous seriez étonné de voir combien peu de détails sont étrangers à l'affaire, fût-ce dans l'enquête la plus simple.

Il mit évidemment ses principes en action, ce matin-là, car il couvrit plusieurs pages de sa petite écriture en pattes de mouche. Il interrompit son interrogatoire pour me demander :

— Voyez-vous un inconvénient à ce que mon employé se rende à votre domicile en cas de nécessité urgente ?

Je répondis que je n'en voyais pas, et j'eus aussitôt l'impression que j'introduisais dans ma chambre je ne sais quelle infection.

— Si cela peut être évité... ajoutai-je.
— Naturellement. Naturellement. Je vous comprends.

Et je crois vraiment qu'il me comprenait. J'aurais

pu lui dire que la présence de son employé me ferait l'effet de poussière sur les meubles et noircirait mes livres comme de la suie, il n'aurait ressenti ni surprise, ni irritation. J'ai la manie d'écrire sur du papier ligné grand format, blanc et propre; la moindre souillure, une goutte de thé le rend à mes yeux inutilisable; l'idée ridicule me vint brusquement qu'il me faudrait garder mon papier sous clef, par crainte de la venue du louche visiteur.

— Tout serait facile s'il m'avertissait, dis-je.

— Certainement, mais ce n'est pas toujours possible. Votre adresse, Mr Bendrix, et votre numéro de téléphone?

— Ce n'est pas une ligne privée. Je suis branché sur le téléphone de ma propriétaire.

— Tous mes hommes font preuve d'une grande discrétion. Désirez-vous recevoir un rapport hebdomadaire ou préférez-vous prendre connaissance des résultats définitifs de l'enquête, celle-ci terminée?

— Hebdomadaire. Elle peut n'être jamais terminée. Il n'y a probablement rien à découvrir.

— Etes-vous souvent allé consulter votre docteur sans qu'il vous trouve quelque chose qui n'allait pas? Vous savez, Mr Bendrix, le fait qu'on ait besoin de nos services signifie à peu près invariablement que nos procès-verbaux ne seront pas vides.

Sans doute avais-je de la chance de traiter avec Mr Savage. On le recommandait comme étant moins déplaisant que ne le sont habituellement les gens de sa profession, mais je trouvai néanmoins son assurance détestable. Ce n'est pas, si vous y réfléchissez, un métier très respectable que celui qui consiste à traquer les innocents, et les amoureux ne sont-ils pas toujours innocents ? Ils n'ont pas commis de crime, ils sont certains en leur âme et conscience de n'avoir fait aucun mal. « Tant que je ne fais de tort qu'à moi-même... » ils ont toujours ce vieux dicton à la bouche ; et puis l'amour, bien sûr, justifie tout ; voilà ce qu'ils croient et c'est ce que je croyais à l'époque où j'aimais.

Et quand nous en vînmes aux honoraires à payer, Mr Savage se montra étonnamment raisonnable : trois guinées par jour, plus les frais (qui doivent naturellement être approuvés par vous). Il m'expliqua que ces frais étaient : « Une tasse de café par-ci par-là, n'est-ce pas, et notre homme est parfois obligé d'offrir à boire. » Je fis une plaisanterie médiocre, me prétendant hostile à la consommation du whisky, mais son humour échappa à Mr Savage.

— J'ai le souvenir d'un cas, dit-il, où un whisky double offert au bon moment a raccourci d'un mois les recherches — ce fut le whisky le moins cher que mon client eût jamais payé !

Il m'expliqua que certains de ses clients « aimaient à recevoir un rapport quotidien », mais je lui répétais que je me contenterais d'un compte rendu hebdomadaire.

Toute l'affaire avait été enlevée fort prestement ; quand je me retrouvai dans Vigo Street, il m'avait presque persuadé que ce genre d'entrevue se présentait dans la vie de tous les hommes, tôt ou tard.

CHAPITRE III

Je me rappelle la phrase de Mr Savage: « Et si vous pouvez me donner d'autres détails qui se rapportent à notre affaire... »

Sans doute est-il aussi important pour un détective que pour un romancier d'amasser des matériaux insignifiants afin d'y choisir l'indice précieux. Mais comme elle est difficile à faire, cette sélection... cette mise à jour du véritable sujet. L'énorme pression du monde extérieur pèse sur nous en une *peine forte et dure*[1]. En ce moment que j'écris ma propre histoire, le problème est toujours le même, en pire... je dispose de beaucoup plus de faits, parce que je n'ai plus à les inventer. Comment extraire le caractère humain de la lourde scène: le journal quotidien, le repas quotidien, les multiples voitures roulant en grinçant vers Battersea, les mouettes montant de la Tamise et cherchant du pain, et ce début d'été de 1939 miroitant, sur le parc où les enfants faisaient flotter leurs bateaux... un de ces brillants étés d'avant guerre condamnés à mort? Je me demandai si, en réfléchissant assez longtemps,

---

[1] En français dans le texte.

je pourrais découvrir, au milieu de cette réception qu'Henry avait donnée, le futur amant de Sarah. Nous nous rencontrâmes pour la première fois, en buvant du mauvais sherry sud-africain parce qu'il y avait la guerre en Espagne. Je crois que je remarquai Sarah parce qu'elle était heureuse : à cette époque, le sens du bonheur, depuis longtemps moribond, s'éteignait à l'approche de la tempête. On le trouvait encore chez les ivrognes et les enfants, rarement ailleurs. Sarah me plut tout de suite, parce qu'elle me déclara qu'elle avait lu mes livres, sans insister davantage, et que je me trouvai, dès ce moment, traité comme un être humain et non comme un écrivain. Je n'avais pas la moindre intention de tomber amoureux d'elle. D'abord, elle était belle et les femmes belles, surtout quand elles sont en plus intelligentes, suscitent en moi un profond sentiment d'infériorité. Je ne sais si les psychologistes ont déjà baptisé le complexe de Cophetua, mais j'ai toujours de la difficulté à ressentir un désir sexuel quand je ne suis pas certain de ma supériorité mentale ou physique. Tout ce que je remarquai en elle, cette première fois, ce fut sa beauté, son air heureux et son habitude de toucher les gens, d'un geste de la main, comme par tendresse. A part sa première phrase d'introduction, je ne puis me rappeler que ces paroles d'elle :

— Vous avez l'air de détester beaucoup de monde !

Peut-être avais-je tenu des propos caustiques au sujet de mes confrères hommes de lettres. Je ne m'en souviens pas.

Quel été ! Je ne vais pas essayer de nommer le mois avec exactitude ; il me faudrait, pour remonter jusque-là, revivre trop de souffrance, mais je me rappelle avoir quitté la pièce surchauffée et pleine de monde, après avoir bu avec excès de ce mauvais sherry, et d'avoir fait quelques pas sur les Allées avec Henry. Le soleil tombait à plat sur le sol et l'herbe en était toute pâlie. L'éloignement donnait aux maisons l'aspect de celles qu'on voit sur les gravures de l'époque victorienne, petites, paisibles, d'un dessin minutieux: seul, un enfant pleurait au loin. L'église du XVIIIe siècle se dressait comme un jouet au milieu d'un îlot de gazon; on pouvait laisser ce jouet dehors, la nuit, par ce temps sec persistant. C'était l'heure où l'on fait des confidences à un inconnu.

— Comme nous pourrions être tous heureux, dit Henry.

— Oui.

Je me sentais envahi d'une immense sympathie pour cet homme, qui avait quitté ses invités et se tenait là debout devant moi, les larmes aux yeux.

— Vous avez une ravissante maison, dis-je.

— C'est ma femme qui l'a trouvée.

J'avais fait la connaissance d'Henry à peine une semaine avant, dans une autre réception; il travaillait à cette époque au Ministère des pensions, et je l'avais tenu dans un coin un long moment pour tirer de lui de la documentation. Deux jours plus tard, je recevais son bristol. J'appris dans la suite que Sarah lui avait suggéré de m'inviter.

— Y a-t-il longtemps que vous êtes marié? demandai-je.

— Dix ans.

— Je trouve votre femme charmante.
— Elle m'est d'un précieux secours.

Pauvre Henry! Mais pourquoi dire pauvre Henry? N'avait-il pas en mains, après tout, les cartes gagnantes... les atouts de la douceur, de l'humilité et de la confiance?

— Il faut que je rentre, Bendrix, dit-il, il ne faut pas que je lui laisse tout le souci.

Et il posa la main sur mon bras comme si nous nous connaissions depuis un an. Etait-ce d'elle qu'il tenait ce geste? Les époux finissent par se ressembler. Nous retournâmes chez lui côte à côte, et quand nous ouvrîmes la porte du vestibule, j'aperçus dans un miroir placé au fond d'une alcôve, le reflet de deux personnes qui se séparaient brusquement, comme après un baiser.

L'une des deux était Sarah. Je regardai Henry. Ou il n'avait rien vu ou cela lui était indifférent... à moins, pensai-je, qu'il ne fût un homme très malheureux.

Mr Savage aurait-il considéré cette petite scène comme nécessaire à l'intelligence du problème? J'appris à quelque temps de là que l'homme qui l'avait embrassée ainsi n'était pas son amant; c'était un collègue d'Henry au Ministère des pensions et sa femme s'était enfuie huit jours avant avec un matelot de deuxième classe. Sarah voyait cet homme pour la première fois ce jour-là, et il paraissait peu vraisemblable qu'il fît encore partie du drame dont j'avais été si nettement exclu. L'amour ne prend pas tant de temps pour se déclarer.

J'aurais voulu éviter de toucher à ce passé, car, à évoquer cette année 1939, je sens renaître toute ma haine. La haine fait travailler, semble-t-il, les mêmes glandes que l'amour : elle est à l'origine des mêmes actions. Si l'on ne nous avait pas enseigné à interpréter l'épisode de la Passion, serions-nous capables de conclure d'après leurs seules actions lequel, du jaloux Judas ou de Pierre le pleutre, aimait Jésus-Christ ?

CHAPITRE IV

Lorsqu'en rentrant chez moi, après ma visite à Mr Savage, j'appris par ma logeuse que Mrs Miles avait téléphoné, je ressentis cette même joie ardente qui m'envahissait jadis en entendant la porte de la rue se refermer et le pas de Sarah résonner dans le vestibule. J'eus l'espoir insensé que ma seule vue, quelques jours auparavant, avait réveillé — non pas son amour, bien sûr, mais un sentiment, un souvenir que je pourrais exploiter. Il me semblait, à ce moment-là, que si je pouvais la posséder une fois encore, fût-ce de façon rapide, brutale et peu satisfaisante, je retrouverais la paix; mon organisme en serait délivré, et ce serait ensuite moi qui la quitterais, je ne serais pas quitté par elle.

Ce fut étrange, après dix-huit mois de silence, de composer sur le cadran ce numéro: Macaulay 7753; et ce fut encore plus étrange d'être obligé de le chercher dans mon livre d'adresses parce que je n'étais pas certain du dernier chiffre. Je restai à écouter la sonnerie d'appel, en me demandant si Henry était rentré du ministère, et ce que je lui dirais s'il me répondait. C'est alors que je me rendis compte que la vérité avait cessé désormais d'être dangereuse. Les mensonges m'avaient abandonné et je me sentais aussi seul que s'ils avaient été mes uniques amis.

La voix d'une femme de chambre bien stylée me répéta le numéro dans le tuyau de l'oreille.

— Mrs Miles est-elle chez elle ? demandai-je.
— Mrs Miles ?
— Est-ce que vous n'êtes pas Macaulay 7753 ?
— Si.
— Je voudrais parler à Mrs Miles.
— Vous vous trompez de numéro, dit-elle en raccrochant.

Il ne m'était pas venu à l'idée que les petites choses se modifient, elles aussi, avec le temps.

Je cherchai dans l'annuaire au nom de Miles, mais là encore, je trouvai l'ancien numéro; l'annuaire datait de plus d'un an. J'étais sur le point d'appeler les renseignements lorsque mon téléphone se remit à sonner, et j'eus Sarah elle-même au bout du fil. Elle me demanda, avec un peu de gêne:

— Est-ce vous ?

Elle ne m'avait jamais donné de nom et privée désormais de nos vieilles appellations de tendresse, elle ne savait que faire.

— Bendrix à l'appareil, dis-je.
— Ici, Sarah; est-ce qu'on ne vous a pas transmis mon message ?
— Mais si. J'allais justement vous appeler, mais j'avais à finir un article. D'ailleurs, je ne crois pas que j'aie votre numéro actuel. Je le trouverai sûrement dans l'annuaire.
— Non, pas encore. Nous en avons changé. Main-

tenant, c'est Macaulay 6204. J'ai quelque chose à vous demander.
— Ah! oui, quoi?
— Rien de très grave. Je voudrais déjeuner avec vous, c'est tout.
— Bien sûr. Je serai ravi. Quand?
— Demain, pourriez-vous?
— Ah! non, pas demain. Voyez-vous, il faut absolument que cet article...
— Mercredi?
— Jeudi, cela vous ira-t-il?
— Oui, dit-elle.

Et je pus presque discerner dans ce monosyllabe une nuance de déception, tant il est vrai que nous sommes les dupes de notre orgueil.

— Alors je vous rejoindrai au Café Royal à une heure.
— Comme vous êtes bon, dit-elle, et je sentis à sa voix qu'elle le pensait. A jeudi.
— A jeudi.

Je restai, le récepteur à la main; je regardais le visage de la haine comme on regarde un homme stupide et laid dont on ne désire pas faire la connaissance. Je composai son numéro; je dus la surprendre avant qu'elle eût eu le temps de s'éloigner du téléphone, et je lui dis:

— Sarah, demain fera l'affaire. J'avais oublié quelque chose. Même heure, même endroit.

Et je demeurai assis là, les doigts posés sur l'instrument silencieux; j'avais quelque chose à attendre, je pensai en moi-même: la mémoire me revient et ce que je ressens, c'est de l'espoir.

CHAPITRE V

Je posai mon journal à plat sur la table et me mis à lire et relire la même page pour m'interdire de regarder la porte. Les clients arrivaient en file ininterrompue et je ne voulais pas me comporter à la manière de ces gens qui trahissent une impatience stupide en baissant et relevant la tête sans arrêt. A quoi donc nous attendons-nous tous, pour nous laisser marquer ainsi par la déception? Le crime quotidien figurait dans ce journal du soir à côté d'une querelle au Parlement au sujet des cartes de sucre; elle était déjà en retard de cinq minutes. Ma mauvaise chance coutumière voulut qu'elle me surprît juste au moment où je regardais ma montre. J'entendis sa voix qui disait:

— Excusez-moi. J'ai pris l'autobus et il y avait des embouteillages.

— Le métro va plus vite, dis-je.

— Je sais, mais je n'avais pas envie d'aller vite.

Elle m'avait souvent décontenancé par sa franchise. Au temps où nous étions amoureux, j'essayais de lui faire dire plus que la vérité: que notre liaison ne finirait jamais et qu'un jour nous nous marierions. Je ne l'aurais pas crue, mais j'aurais aimé entendre ses lèvres prononcer les mots que j'attendais, ne fût-ce que pour me procurer la satisfaction de les réfuter moi-même. Mais elle ne jouait jamais à faire semblant et tout à coup, sans que je m'y attendisse, elle anéantissait ma réserve par une affirmation d'une grande douceur et d'une grande puissance... Je me rappelle qu'une fois où j'étais désolé de la voir accepter avec sérénité qu'un jour nos relations prendraient fin, je l'entendis, avec un bonheur auquel je ne pouvais croire, me dire:

— Je n'ai jamais, jamais aimé aucun homme comme je t'aime et jamais je n'aimerai plus ainsi.

Bon, bon, pensais-je, elle joue sans le savoir le même jeu et elle « fait semblant ».

Elle s'assit à côté de moi et commanda un bock de bière blonde.

— J'ai retenu une table chez Rule, dis-je.
— Ne pourrions-nous rester ici?
— C'est là que nous allions toujours.
— C'est vrai.

Peut-être y avait-il quelque gaucherie dans notre attitude, car je vis que nous avions attiré l'attention d'un petit homme assis sur une banquette, pas très loin de nous. Je résolus de décourager son attention en le fixant et ce fut facile. Il avait une longue moustache, et des yeux de biche dont le regard se détourna brusquement; il cogna du coude son verre de bière qui roula jusqu'au sol, ce qui le remplit de confusion. J'eus pitié de lui à ce moment-là parce que l'idée me vint qu'il avait dû me reconnaître d'après mes photographies. Peut-être même était-il un de mes rares lecteurs. Un petit garçon l'accompagnait et c'est une chose bien cruelle que d'humilier un père en présence de son fils. L'enfant devint écarlate quand le garçon se précipita vers eux et son père se mit à s'excuser avec une véhémence inutile.

— Naturellement, dis-je à Sarah, nous déjeunerons où vous voudrez.
— C'est que... je ne suis jamais retournée là-bas.
— Ce n'était pas votre restaurant, d'ailleurs.
— Y allez-vous souvent?
— Oui, c'est commode pour moi. Deux ou trois fois par semaine.

Elle se leva d'un mouvement brusque et dit:
— Partons.

Puis elle fut saisie d'une quinte de toux. C'était une toux trop violente pour la minceur de son corps; son front se couvrit de transpiration dans l'effort qui la secoua.
— Quelle affreuse toux!
— Oh! ce n'est rien. Excusez-moi.
— Taxi?
— Non, je préfère marcher...

Quand on remonte Maiden Lane, sur le trottoir de gauche se trouvent une entrée de maison et une grille devant lesquelles nous passâmes sans dire un mot. Après notre premier dîner, celui où je l'avais interrogée sur les habitudes d'Henry et où elle s'était émue de mes marques d'intérêt, nous nous étions arrêtés à cet endroit et je l'avais embrassée, assez maladroitement, en la raccompagnant jusqu'au métro. Je ne sais pourquoi je l'avais fait, si ce n'est peut-être que l'image entrevue dans le miroir m'était revenue à l'esprit, car je n'avais alors aucune intention de lui faire la cour. Je n'avais même pas le projet précis de la revoir. Elle était trop belle pour que je fusse excité par l'idée qu'elle pouvait être accessible.

Quand nous prîmes place à table, un vieux maître d'hôtel me dit :

— Il y a bien longtemps que vous n'êtes venu, monsieur.

Je regrettai d'avoir menti à Sarah par hâblerie.

— Oh ! dis-je, je mange dans la salle du haut, maintenant.

— Et vous aussi, madame, voilà très longtemps...

— Près de deux ans, répondit-elle avec cette exactitude que je détestais parfois.

— Mais je me rappelle que vous preniez un grand verre de bière blonde.

— Vous avez une bonne mémoire, Alfred.

Et ce rappel fit rayonner de joie le maître d'hôtel.

Elle avait toujours eu le chic de séduire les garçons de restaurant.

L'arrivée des plats interrompit notre conversation à bâtons rompus et ce ne fut qu'à la fin du repas que Sarah me donna quelque indice sur la raison de sa présence à mes côtés.

— Je vous ai demandé de m'inviter à déjeuner, dit-elle, parce que je voulais vous parler d'Henry.

— Henry ? répétai-je en essayant de ne rien laisser passer dans ma voix de ma déconvenue.

— Je suis inquiète à son sujet. Comment l'avez-vous trouvé, l'autre soir ? Vous a-t-il paru bizarre ?

— Je n'ai rien remarqué d'anormal, dis-je.

— Je voulais vous demander... oh ! je sais que vous

êtes très occupé... pourriez-vous lui faire signe de temps en temps. Je crois qu'il se sent très seul.

— Auprès de vous?

— Vous savez bien qu'il n'a jamais remarqué ma présence. Depuis des années.

— Peut-être commence-t-il à remarquer vos absences.

— Je ne sors guère, à présent, dit-elle.

Et très commodément sa toux vint interrompre le cours de ces propos. Quand la quinte fut passée, elle avait eu le temps de décider de la marche de ses pions, bien qu'elle n'eût pas pour habitude d'esquiver la vérité.

— Avez-vous entrepris un nouveau livre? me demanda-t-elle.

Sa question semblait être celle d'une inconnue, le genre d'inconnue qu'on rencontre dans un cocktail. Elle ne s'était jamais laissée aller à tenir ce genre de propos, même la première fois, le jour du sherry sud-africain.

— Bien sûr.

— Je n'ai pas beaucoup aimé le dernier.

— J'ai eu du mal à l'écrire à ce moment-là, avec le retour de la paix... (et j'aurais pu aussi bien dire, avec la fuite de la paix).

— Je craignais quelquefois que vous repreniez votre sujet d'autrefois, celui que je détestais. Il y a des hommes qui l'auraient fait.

— Il me faut un an pour écrire un livre. C'est trop long pour satisfaire une vengeance.

— Si vous saviez comme vous aviez peu de raisons de vous venger...

— Je plaisantais, naturellement. Nous avons passé de bons moments ensemble. Nous sommes adultes, et nous savions que cela ne pouvait pas durer toujours. Aujourd'hui, vous le voyez, nous sommes capables de nous rencontrer comme des amis, et de parler d'Henry.

Je réglai l'addition et nous sortîmes. Vingt mètres plus loin, en descendant la rue, il y avait l'entrée de maison et la grille. Je m'arrêtai sur le trottoir.

— Je suppose que vous allez vers le Strand.

— Non, Leicester Square.

— Moi, je vais dans le Strand.

Elle s'arrêta sous la voûte. La rue était vide.

— Je vais prendre congé de vous ici, dis-je. J'ai été ravi de vous voir.

— Moi aussi.

— Donnez-moi un coup de téléphone quand vous êtes libre.

Je m'approchai d'elle : je sentais le contact de la grille sous mes pieds.

— Sarah, dis-je.

Elle détourna vivement la tête comme pour regarder si quelqu'un venait, comme pour s'assurer que nous avions le temps... mais quand elle se tourna vers moi de nouveau, sa toux la reprit. Pliée en deux sous le porche, elle toussait, toussait... ses yeux en étaient rouges. Dans son manteau de fourrure, elle ressemblait à un petit animal pris au piège.

— Excusez-moi.

— Il faut soigner cela, dis-je d'un ton d'amertume comme si j'avais été frustré de quelque chose.

— Ce n'est que de l'irritation.

Elle me tendit la main en disant :
— Au revoir, Maurice.
Le prénom sonna comme une insulte. Je répondis :
« Au revoir », et ne pris pas sa main.

Je m'éloignai d'un pas rapide, sans me retourner, pour essayer de lui donner l'impression que j'étais à la fois très occupé et soulagé de l'avoir quittée; quand j'entendis sa toux qui la reprenait, j'aurais voulu pouvoir siffler un air, quelque chose de désinvolte, d'aventureux et allègre, mais je n'ai pas l'oreille musicale.

CHAPITRE VI

Quand on est jeune, on échafaude un programme de travail dont on s'imagine qu'il durera toute la vie et résistera à n'importe quel cataclysme. Pendant vingt ans, je crois que j'ai écrit une moyenne d'environ cinq cents mots par jour, cinq jours par semaine. Je peux produire un roman en une année, en prenant là-dessus le temps de le revoir et d'en corriger l'épreuve dactylographiée. J'ai toujours été très méthodique et quand j'ai terminé la tâche que je me suis fixée, je m'interromps, fût-ce au milieu d'une scène. De temps en temps, au cours de la matinée, je compte les mots que j'ai écrits et je les pointe par centaines sur le manuscrit. L'imprimeur n'a jamais besoin d'évaluer minutieusement le travail qu'il reçoit de moi, car il trouve un chiffre indiqué sur la première page de la dactylographie: 83 764. Dans ma jeunesse, même une aventure amoureuse n'aurait pu modifier mon plan de travail. L'aventure amoureuse ne pouvait m'occuper qu'après le déjeuner, et si tard que je me fusse mis au lit — les nuits que je passais dans mon propre lit — je relisais mon travail du matin avant de me coucher et je dormais dessus. La guerre elle-même me troubla peu. Une jambe estropiée m'écartait de l'armée, et lorsque j'appartenais à la défense passive, mes collègues n'étaient que trop contents de me voir refuser les heures de garde de la matinée où tout est paisible. J'y gagnai une réputation imméritée de zèle, mais je n'avais vraiment de zèle que devant mon bureau, ma feuille de papier, et mon contingent de mots tombant un à un, lentement, méthodiquement, de ma plume. Il fallut l'arrivée de Sarah pour bousculer cette discipline que je m'imposais à moi-même. Entre les premiers raids en plein jour et les V 1 de 1944, les bombes respectaient leurs propres habitudes nocturnes si commodes, mais très souvent je ne pouvais voir Sarah que le matin. L'après-midi, elle n'était jamais à l'abri des amies qui, leurs courses dans les magasins terminées, avaient besoin de se réunir pour bavarder avant le premier signal d'alerte du soir. Elle arrivait quelquefois entre deux attentes chez les commerçants et nous nous aimions entre une visite au marchand de légumes et une autre au boucher.

Mais, même dans ces conditions, il m'était très facile de me remettre au travail. Tant qu'on est heureux, on peut se plier à n'importe quelle discipline: ce fut le malheur qui rompit mes habitudes de travail. Quand je commençai à m'apercevoir de la fréquence de nos querelles, du nombre de fois croissant que je la tourmentais, la harcelais par pure irritation nerveuse, je sus que notre amour était condamné; notre amour était devenu une liaison, avec un commencement et une fin. Je pouvais dire à quel moment précis il avait commencé, et je savais qu'un jour je pourrais en nommer l'heure dernière. Quand Sarah avait quitté ma maison, je ne pouvais plus me remettre au travail: je reconstituais ce que nous nous étions dit; j'attisais en moi la colère ou le remords. Et je savais, tout en le faisant, que je précipitais le dénouement. Je chassais de ma vie, à toutes forces, la seule chose que j'aimais. Tant que je pouvais me jouer la comédie de la pérennité de l'amour, j'étais heureux, je crois même qu'il était bon de vivre à mes côtés et c'est pour cela que l'amour durait. Mais si l'amour devait mourir, je souhaitais qu'il mourût vite. C'était comme si notre amour avait été un petit animal pris au piège et perdant tout son sang; je n'avais plus qu'à fermer les yeux et à lui tordre le cou.

Dans l'intervalle, il m'était impossible de travailler. Comme je l'ai dit, une grande partie de la création d'un romancier s'accomplit dans l'inconscient: à ces profondeurs, le dernier mot est écrit avant que le premier paraisse sur le papier. Nous nous rappelons les détails de notre histoire, nous ne les inventons pas. La guerre ne troublait pas de ses remous ces cavernes sous-marines, mais voilà que survenait une chose infiniment plus importante pour moi que la guerre et que mon roman: c'était la fin de notre amour. Cela se développait comme une intrigue: la parole mordante qui faisait pleurer Sarah et semblait me venir si spontanément aux lèvres s'était aiguisée au fond de ces grottes submergées. Mon roman traînait, mais mon amour, semblable à l'inspiration, se précipitait vers sa fin.

Rien d'étonnant qu'elle n'eût pas aimé mon dernier livre. Je l'avais écrit constamment à contrecœur, sans soutien, uniquement parce qu'il me fallait continuer de vivre. Les critiques l'avaient jugé: l'œuvre d'un romancier qui connaît bien son métier; c'était tout ce qui me restait de ce qui avait été une passion. Je me disais que, peut-être, en écrivant le prochain livre, ma passion allait revenir, mon exaltation renaître, en me rappelant ce que je n'avais jamais su consciemment; mais la semaine qui suivit mon déjeuner avec Sarah chez Rule, je ne pus faire aucun travail. Et voilà que je recommence: je, je, je, comme si cette histoire était mon histoire et non l'histoire de Sarah, d'Henry et naturellement de ce troisième que je haïssais sans le connaître encore, ou même croire en son existence.

J'avais essayé en vain de travailler ce matin-là; j'avais trop bu au déjeuner et mon après-midi en était gâché. A la nuit tombante, j'allai me mettre debout devant la fenêtre, mes lumières éteintes, et je contemplai, de l'autre côté des Allées, noires et plates, les fenêtres éclairées du versant nord. Il faisait très froid; mon radiateur à gaz ne me réchauffait que si je me serrais très près de sa flamme, et à ce moment-là, il me brûlait. Quelques flocons de neige passèrent devant les réverbères du versant sud et vinrent toucher ma vitre de leurs gros doigts humides. Je n'entendis pas sonner à la porte. Ma logeuse frappa et dit:

— Un Mr Parkis désire vous voir, monsieur, fixant par un simple article indéfini le niveau social de mon visiteur.

Je n'avais jamais entendu prononcer ce nom, mais je lui dis de faire entrer.

Je me demandai où j'avais aperçu ces yeux doux, noyés de contrition, cette longue moustache démodée que l'air glacé avait mouillée. Je n'avais allumé que ma lampe de bureau et il s'en était approché, son regard myope fouillant l'ombre où il ne parvenait pas à me distinguer.

— Mr Bendrix? dit-il.

— Lui-même.

— Je suis Parkis, monsieur, comme si ce nom devait me dire quelque chose.

Il ajouta:

— Agent de Mr Savage.

— Ah! très bien. Asseyez-vous. Une cigarette?

— Oh! non, monsieur, dit-il, pas pendant le service, sauf bien entendu si cela aide à se dissimuler.

— Mais ici vous n'êtes pas de service.

— D'une certaine façon, si, monsieur. Je me suis fait simplement remplacer pour une heure, afin de vous faire mon rapport. Mr Savage m'a mis au courant que vous l'aviez demandé avec la note des frais une fois par semaine.

— Avez-vous trouvé quelque chose à me communiquer?

Je n'étais pas sûr de pouvoir déterminer si j'étais avide de savoir ou déçu.

— Nous ne sommes pas tout à fait bredouilles, dit-il d'un air suffisant, en sortant de sa poche un nombre extraordinaire de feuillets et d'enveloppes, fourgonnant à la recherche du papier qu'il désirait.

— Asseyez-vous, je vous en prie. Vous me mettez mal à l'aise.

— Comme vous voudrez, monsieur.
Assis, il pouvait me voir d'un peu plus près.
— Ne vous ai-je pas déjà rencontré quelque part, monsieur? me demanda-t-il.

J'avais sorti le premier feuillet de son enveloppe: c'était la liste des frais, rédigée d'une petite écriture ronde et nette d'écolier.

— Vous écrivez très lisiblement, dis-je.
— C'est mon petit garçon. Je le dresse au métier. Je ne fais payer aucun supplément pour lui, se hâta-t-il d'ajouter, à moins que je ne le laisse en faction, comme tantôt.
— Ah! oui, il est en faction?
— **Rien que le temps de faire mon rapport, monsieur.**
— Quel âge a-t-il?
— Douze ans passés, dit-il; un enfant peut rendre des services et il ne coûte rien, sauf un illustré de temps en temps. Et personne ne le remarque. Les gamins sont badauds de naissance.
— Cela me paraît être une étrange occupation pour un petit garçon.
— Sans doute, monsieur, mais il n'en comprend pas le véritable sens. Si les choses en venaient au point de faire irruption dans une chambre à coucher, je le laisserais à la maison.

Je lus:

18 janvier:	2 journaux du soir	2 d.
	Retour métro	1 s. 8 d.
	Café. Gunthers	2 s. [1]

[1] s. = shilling; d. = penny.

Il me surveillait étroitement pendant que je lisais :

— Cet endroit où j'ai pris le café était plus cher que je ne l'aurais souhaité, dit-il, mais j'ai demandé la consommation la plus modeste que je pouvais prendre sans attirer l'attention sur moi.

19 janvier :   Métros   2 s. 4 d.
               2 bières en bouteille   3 s.
               Cocktail   2 s. 6 d.
               1 verre de bitter   1 s. 6 d.

Il interrompit de nouveau ma lecture :

— Cette bière me pèse un peu sur la conscience, monsieur, parce que j'en ai renversé un verre par maladresse. Mais j'étais assez fortement ému du fait qu'il y avait quelque chose à signaler. Voyez-vous, monsieur, on a quelquefois des semaines de désillusion, mais cette fois-ci, le second jour...

Bien sûr, je me le rappelais, lui et son petit garçon tout intimidé. Je lus à la date du 19 janvier (j'avais vu d'un seul coup d'œil que, le 18 janvier, il n'y avait qu'une énumération de déplacements sans intérêt) :

La personne en question a pris l'autobus jusqu'à Piccadilly Circus. Elle semblait troublée. Elle est montée par Air-Street jusqu'au Café Royal où un monsieur l'attendait. Moi et mon petit garçon...

Il n'arrivait pas à me laisser lire en paix.

— Vous remarquerez, monsieur, que l'écriture est différente. Je ne laisse jamais mon petit garçon écrire les rapports de peur qu'ils présentent un caractère intime.

— Vous prenez bien soin de lui, dis-je.

Moi et mon petit garçon nous étions assis sur une banquette proche, continuai-je à lire. *La personne et le monsieur étaient visiblement très liés; ils se traitaient avec un manque de cérémonie affectueux, et je crois même qu'à un moment ils se tenaient la main sous la table. Je n'ai pas pu m'en assurer, mais la main gauche de la personne avait disparu à ma vue, en même temps que la main droite du monsieur, ce qui est généralement l'indice d'une caresse de ce genre. Après une conversation courte, mais en apparence intime, ils se rendirent à pied dans un restaurant tranquille et retiré, connu parmi ses habitués sous le nom de « Chez Rule », et choisissant une table de coin sur une banquette, ils ont commandé deux côtelettes de porc.*

— Les côtelettes de porc ont-elles une grande importance?
— Elles pourraient servir d'indice pour une identification, monsieur, si elles faisaient l'objet d'une consommation fréquente.
— Donc, vous n'avez pas identifié cet homme?
— Vous allez voir, monsieur, en lisant la suite.

Je pris un cocktail au bar, d'où j'assistai à cette commande des côtelettes de porc, mais je ne pus obtenir d'aucun des garçons, ni de la dame qui se tenait derrière le bar, l'identité du monsieur. Même quand je posais mes questions d'une façon vague et nonchalante, il était évident qu'elles éveillaient leur curiosité, aussi jugeai-je préférable de quitter les lieux. Toutefois, ayant lié connaissance au Théâtre du Vaudeville avec le concierge de l'entrée des artistes, il me fut possible de tenir le restaurant dans le champ de mon observation.

— Comment, demandai-je, avez-vous fait la connaissance de ce concierge?

— Au bar du Bedford Head, monsieur, considérant que les personnes, occupées par leur commande de côtelettes, ne pouvaient m'échapper. Je l'ai ensuite raccompagné jusqu'au théâtre où l'entrée des artistes...

— Je connais l'endroit.

— J'ai essayé de réduire mon rapport à l'essentiel, monsieur.

— C'est parfait.

Le rapport se poursuivait ainsi:

Après leur déjeuner, M. X. et Mme Y. ont remonté ensemble Maiden Lane et se sont séparés devant un magasin d'alimentation. J'ai eu l'impression qu'ils étaient en proie à une grande émotion, et l'idée m'est venue qu'ils se séparaient peut-être pour toujours, excellent dénouement, si je puis dire, à cette enquête.

Il m'interrompit une fois de plus d'un air anxieux:

— Vous excuserez cette considération d'ordre personnel.

— Comment donc!

— Même dans ma profession, monsieur, il arrive que nous soyons touchés et cette dame m'a été sympathique, je veux dire la personne en question...

J'hésitais, me demandant si j'allais suivre l'homme ou la femme, mais je décidai que les instructions reçues m'interdisaient le premier parti. Je suivis donc Madame qui fit à pied un bout de chemin dans la direction de Charing Cross. Elle paraissait très troublée. Ensuite elle est entrée dans la National Portrait Gallery, mais n'y est restée que quelques minutes...

— Y a-t-il encore des détails importants ?
— Non, monsieur, je crois en réalité que la personne était simplement en quête d'un endroit où s'asseoir, car tout de suite après, elle est entrée dans une église.
— Une église ?
— Oui, une église catholique, monsieur, dans Maiden Lane. C'est écrit là. Mais pas pour prier, monsieur. Seulement pour s'asseoir.
— Vous savez même ces choses-là, vraiment ?
— Oh ! je suis entré derrière la personne, naturellement. Je me suis agenouillé à quelques bancs derrière elle pour avoir l'air d'un vrai fidèle, et je puis vous affirmer, monsieur, qu'elle ne priait pas. Elle n'est pas catholique, je suppose ?
— Non.
— Alors, c'était pour s'asseoir dans le noir, monsieur, et attendre que son agitation soit passée.
— Peut-être avait-elle un rendez-vous.
— Non, monsieur. Elle n'y est restée que trois minutes et elle n'a parlé à personne. Si vous voulez mon avis, je crois qu'elle voulait pleurer un bon coup.
— C'est possible. Mais vous vous êtes trompé en ce qui concerne les mains, Mr Parkis.

— Les mains, monsieur?

Je me déplaçai afin de recevoir la lumière en plein visage.

— Nos mains ne se sont même pas effleurées.

Je regrettai immédiatement de lui avoir joué ce mauvais tour. J'étais désolé d'avoir ajouté à l'embarras d'un être déjà si timide. Il me regarda fixement, bouche bée, comme s'il venait de recevoir un coup de poignard inattendu, et demeurait paralysé, dans l'attente du suivant.

— Je suppose, dis-je, que cette sorte d'erreur se produit fréquemment, Mr Parkis. Mr Savage aurait dû nous présenter l'un à l'autre.

— Non, non, monsieur, dit-il d'une voix désolée, c'est entièrement ma faute.

Il resta ensuite un moment la tête penchée et le regard perdu au fond de son chapeau posé sur ses genoux. J'essayai de le réconforter.

— Ce n'est pas grave, lui dis-je. Si vous considérez cet épisode, de l'extérieur, il est même très amusant.

— Mais, moi, je suis à l'intérieur, monsieur, dit-il.

Il tourna et retourna son chapeau entre ses mains et continua de parler d'une voix aussi mouillée, aussi lugubre que l'étaient ce jour-là les Allées sous ma fenêtre.

— Ce n'est pas à vrai dire l'opinion de Mr Savage qui me préoccupe, monsieur. Il est plus compréhensif que la plupart des gens qu'on rencontre dans la corporation... C'est mon gamin. Il est parti dans la vie avec des idées tellement magnifiques sur moi. (Mr Parkis alla puiser tout au fond de sa misère un sourire effrayé et désapprobateur.) Vous connaissez le genre de lecture qu'ils aiment, monsieur : Nick Carter et des trucs comme ça.

— Pourquoi connaîtrait-il jamais cette histoire ?

— Ah ! mais il faut jouer franc jeu avec un enfant, monsieur, et il me posera certainement des questions. Il voudra savoir ce qu'a donné ma « filature ». C'est ce qu'il apprend : la filature.

— Est-ce que vous ne pourriez pas lui dire que j'ai pu identifier cet homme — rien d'autre — et que cela ne m'intéressait pas ?

— Vous êtes bien bon de le suggérer, monsieur, mais il vaut mieux regarder les faits en face. Je ne dis pas que je ne serais pas capable de raconter une histoire semblable même à mon fils, mais que penserait-il si jamais il vous rencontrait, par hasard, au cours de l'enquête ?

— Il n'y a pas de raison.

— Mais cela pourrait arriver accidentellement, monsieur.

— Pourquoi ne pas le laisser à la maison cette fois-ci ?

— Cela ne ferait qu'aggraver les choses, monsieur. Il n'a pas de mère et il est en vacances en ce moment. J'ai toujours profité de ses vacances scolaires pour m'occuper de son éducation... avec l'approbation totale de Mr Savage. Non. Je me suis couvert de ridicule dans cette circonstance et il faut que je m'en tire. Si seulement ce gosse n'était pas si sérieux, monsieur, mais quand je fais une gaffe, il prend ça tellement à cœur. Un jour, Mr Prentice, c'est l'assistant de Mr Savage, un homme assez dur, monsieur, a dit en présence de mon petit garçon: « Encore une de vos gaffes, Parkis. » C'est ce qui lui a ouvert les yeux.

Parkis se leva avec un air de décision héroïque (et qui donc aurait le droit de mesurer le courage d'un autre homme?) en disant:

— Je vous fais perdre votre temps, monsieur, à discuter mes propres problèmes...

— Ils m'ont beaucoup intéressé, Mr Parkis, répondis-je sans ironie. Essayez de ne pas vous tourmenter. Votre fils doit tenir de vous.

— Il a l'intelligence de sa mère, monsieur, dit-il avec tristesse. Il faut que je m'en aille vite. Il fait froid dehors, bien que je lui aie trouvé un bon petit coin abrité où je l'ai installé. Mais il a tant de zèle à la tâche que je crains fort qu'il ne reste pas au sec. Voulez-vous avoir l'obligeance de signer, monsieur, si vous approuvez?

De ma fenêtre, je le suivis des yeux, dans son mince imperméable au col relevé et son vieux chapeau aux bords rabattus; la neige tombait plus fort et déjà, sous le troisième réverbère, il avait l'air d'un petit bonhomme de neige, sur qui la terre transparaît par endroits. Je m'aperçus avec stupéfaction que depuis dix minutes je n'avais pensé ni à Sarah ni à ma jalousie. J'étais devenu presque assez humain pour m'intéresser aux soucis d'un autre.

CHAPITRE VII

La jalousie, du moins à ce que j'ai toujours cru, est inséparable du désir. Les auteurs de l'Ancien Testament se plaisent à employer l'expression « un Dieu jaloux », et c'est peut-être leur façon primitive et oblique d'exprimer leur foi en l'amour que Dieu porte aux hommes. Mais je suppose qu'il y a diverses formes du désir. Mon désir d'alors était plus proche de la haine que de l'amour; quant à Henry, j'avais quelque raison de croire d'après ce que m'avait raconté Sarah qu'il avait cessé depuis longtemps d'éprouver pour elle le moindre désir physique. Pourtant, je crois qu'à cette époque il était aussi jaloux que moi. Son désir à lui était un besoin de compagnie; il se sentait pour la première fois exclu de la confiance de Sarah; il se tourmentait, se désespérait, il ne savait ni ce qui se passait, ni ce qui se préparait. Il vivait dans une terrible absence de sécurité. Je connaissais, moi, la sécurité de celui qui ne possède rien. J'avais perdu plus que je ne pourrais jamais avoir, tandis qu'il possédait encore la présence de Sarah à table, le bruit de ses pas sur l'escalier, celui des portes qu'elle ouvrait ou fermait, le baiser sur la joue... je doute qu'il y eût beaucoup plus que cela, mais rien que cela, quelle abondance pour un homme qui meurt d'inanition. Pourtant, ce qui rendait sans doute sa situation plus douloureuse que la mienne, c'est qu'il avait joui jadis d'un sentiment de sécurité que je n'avais jamais connu. En somme, même au moment où Mr Parkis traversait les Allées, en sortant de chez moi, Henry ignorait encore que Sarah et moi nous avions été amants. En écrivant ce mot, mon cerveau, malgré moi, retourne irrésistiblement vers le point où la souffrance commença.

Une semaine entière s'écoula après le baiser maladroit de Maiden Lane, avant que j'appelle Sarah au téléphone. Elle avait dit incidemment, en déjeunant, qu'elle allait rarement au cinéma parce qu'Henry n'aimait pas cela. Un film tiré d'un de mes livres passait au Warner : en partie pour me faire valoir, en partie parce qu'il me semblait que, par pure courtoisie, ce baiser devait être suivi d'autre chose, en partie aussi parce que je continuais de m'intéresser à la vie conjugale d'un fonctionnaire civil, je demandai à Sarah de m'y accompagner.

— Je suppose qu'il est inutile d'inviter Henry ?
— Tout à fait inutile.
— Il pourrait venir nous rejoindre à la sortie et nous irions souper ensemble.
— Il rapporte beaucoup de travail à faire à la maison. Il y a un monstre de libéral qui se prépare à interpeller à la Chambre, la semaine prochaine, sur la question des veuves.

Ainsi l'on pourrait dire que ce libéral — je crois que c'était un Gallois du nom de Lewis — nous tint la chandelle ce soir-là.

Le film n'était pas bon, et par moments il m'était extrêmement pénible de voir certaines situations, qui m'avaient paru si réelles, déformées jusqu'à ne plus donner que les *clichés*[1] ordinaires de l'écran. Je regrettai d'y avoir amené Sarah. Je lui avais dit au début: « Vous savez, ce n'est pas du tout ce que j'ai écrit », mais je ne pouvais continuer à le lui répéter. Elle posa sa main sur la mienne pour me montrer sa sympathie, et à partir de ce moment nous demeurâmes unis par cette innocente étreinte, propre aux enfants et aux amoureux. Puis, d'une façon brusque, inattendue, et pendant quelques minutes seulement, le film devint vivant. J'oubliai que l'histoire était de moi et que (pour une fois) le dialogue était le mien et je fus sincèrement pris par la vérité d'une petite scène qui se passait dans un restaurant bon marché. L'amant avait commandé un steak aux oignons et la jeune femme hésitait, car son mari n'aimait pas l'odeur de l'oignon; l'amant qui comprenait la raison secrète de son hésitation était blessé et furieux qu'elle lui rappelât ainsi l'image de l'étreinte qui l'attendait inévitablement à son retour au foyer conjugal. La scène « rendait »: j'avais voulu créer une atmosphère de passion à l'aide d'un épisode simple et trivial, sans la moindre rhétorique de mots ou d'action, et le résultat était obtenu. Pendant quelques secondes, je fus heureux: ça, c'était écrit; je ne m'intéressais plus au reste du monde. J'avais envie de rentrer chez moi et de relire cette scène. Je brûlais de me remettre au travail sur quelque chose de neuf.

---

[1] En français dans le texte.

Je regrettais, oh! comme je regrettais d'avoir invité Sarah à dîner.

Plus tard, nous étions revenus chez Rule, le garçon était allé chercher nos steaks, et Sarah me dit :

— Il y a une scène, du moins que vous avez écrite.

— Oui.

— Celle des oignons.

Au même moment, on posa un plat d'oignons sur notre table, et je demandai à Sarah (de toute la soirée l'idée de la désirer ne m'avait pas effleuré l'esprit) :

— Henry est-il gêné par l'odeur des oignons ?

— Oh! oui. Il ne peut pas les souffrir. Les aimez-vous ?

— Oui.

Elle me servit, puis en prit elle-même.

Est-il possible de tomber amoureux devant un plat d'oignons ? Cela semble improbable et pourtant je puis jurer que c'est exactement à ce moment-là que je tombai amoureux. Les oignons, naturellement, n'en furent pas seuls la cause, mais j'eus la brusque révélation d'une personnalité féminine, douée d'une franchise qui si souvent dans la suite devait me rendre tantôt heureux et tantôt malheureux. J'avançai la main sous la nappe et la posai sur son genou, et sa main vint maintenir la mienne à cette place.

— Ce steak est bon, dis-je.

Et sa réponse parvint à mon oreille comme de la poésie :

— C'est le meilleur que j'aie jamais mangé.

Il n'y eut pas de poursuite galante, pas de séduction. Nous laissâmes la moitié de ce si excellent steak sur nos assiettes et le tiers du bordeaux dans la bouteille, et quand nous nous retrouvâmes dans Maiden Lane, nous avions tous les deux le même projet en tête. Au même endroit, très exactement, près de l'entrée et de la grille, nous échangeâmes un baiser.

— Je suis tombé amoureux, dis-je.
— Moi aussi.
— Nous ne pouvons pas rentrer chacun chez nous.
— Non.

Nous arrêtâmes un taxi près de la gare de Charing Cross et je dis au chauffeur de nous mener dans l'avenue Arbuckle, le nom qu'ils donnaient entre eux à la terrasse Leinster, où se dressaient sur le côté de la gare de Paddington une rangée d'hôtels arborant des noms de luxe: le Ritz, le Carlton, et ainsi de suite. Les portes de ces hôtels étaient toujours ouvertes et vous pouviez y prendre une chambre pour une heure ou deux à n'importe quel moment. Je suis retourné voir cette terrasse, il y a huit jours: la moitié en a disparu, justement la moitié où se dressaient les hôtels, et l'endroit où nous nous sommes aimés ce soir-là n'est plus qu'un trou béant. Ç'avait été le Bristol; il y avait une fougère en pot dans le vestibule et nous fûmes conduits dans la meilleure chambre par une gérante aux cheveux bleus. C'était une vraie chambre du siècle dernier avec un grand lit doré pour deux personnes (les gens qui venaient dans l'avenue Arbuckle ne demandaient jamais de lits jumeaux), des rideaux de velours rouge et un grand miroir. Je me rappelle très bien ces détails vulgaires: la gérante me demandant si nous allions garder la chambre toute la nuit; m'avertissant que si l'on ne restait que peu de temps, c'était quinze shillings; je me souviens que le radiateur électrique n'avalait que les pièces de un shilling et que nous n'en avions ni l'un ni l'autre, et j'ai oublié tout le reste... l'aspect de Sarah cette première fois et ce qui se passa, sauf que nous étions tous les deux intimidés et que nous avons très mal fait l'amour. Rien de cela n'avait d'importance. Nous avions commencé et c'était la chose essentielle. Nous avions désormais toute la vie devant nous. Oh! et il y a encore une chose qui me revient toujours à la mémoire: A la porte de notre chambre (« notre chambre » au bout d'une demi-heure), quand je l'embrassai de nouveau, en lui disant que je détestais l'idée qu'elle allait retrouver Henry, elle me répondit:

— Ne vous inquiétez pas. Il est absorbé par les veuves.

— Je déteste jusqu'à l'idée qu'il vous embrassera.

— Il ne m'embrassera pas. Rien ne lui fait plus horreur que l'odeur de l'oignon!

Je l'accompagnai jusque chez elle de l'autre côté des Allées. La lumière d'Henry filtrait sous la porte de son bureau, mais nous montâmes au premier. Dans le salon, nous restâmes un instant les mains collées sur le corps l'un de l'autre, incapables de nous séparer.

— Il va monter, dis-je, d'une minute à l'autre.

— Nous l'entendrons, dit-elle.

Et elle ajouta avec une terrifiante lucidité:

— Il y a une marche qui craque toujours.

Je n'avais pas le temps d'enlever mon pardessus. Nous nous embrassâmes. Nous entendîmes craquer la marche, et je constatai avec tristesse que le visage de

Sarah resta parfaitement calme lorsque Henry entra.
— Nous espérions que tu allais monter et nous offrir à boire, dit-elle.
— Bien sûr, dit Henry. Que voulez-vous prendre, Bendrix?
Je répondis que je ne boirais pas, car j'avais à travailler.
— Je croyais vous avoir entendu dire que vous ne travailliez jamais le soir.
— Oh! ça ne compte pas. Un compte rendu de livre.
— Intéressant?
— Pas très.
— Je vous envie ce pouvoir de... vous exprimer.
Sarah m'accompagna jusqu'à la porte et nous échangeâmes encore un baiser. A ce moment-là, Henry m'était sympathique, pas Sarah. C'était comme si tous les hommes du passé et tous les hommes de l'avenir avaient projeté leur ombre sur le présent.
— Qu'y a-t-il? demanda-t-elle.
Elle était toujours prompte à lire le sens caché d'un baiser, d'un chuchotement de l'esprit.
— Rien, répondis-je. Je vous téléphonerai dans la matinée.
— Il vaut mieux que ce soit moi qui vous appelle, riposta Sarah.
Et je songeai: prudence, prudence, comme elle sait bien mener une aventure telle que celle-ci, tandis que me revenait le souvenir de la marche qui craquait toujours, *toujours* avait dit Sarah.

LIVRE DEUXIÈME

CHAPITRE PREMIER

L'idée de la souffrance est beaucoup plus facile à communiquer que celle du bonheur. On dirait que le malheur nous fait prendre conscience de notre propre réalité, même si cette conscience revêt la forme d'un égoïsme monstrueux: la douleur que je ressens m'est personnelle, ce nerf qui se crispe m'appartient, à moi, pas à un autre; tandis que le bonheur nous annihile, nous y perdons notre identité. Les saints ont employé le langage de l'amour humain pour décrire leur vision de Dieu; de même, je suppose, pourrions-nous faire usage des mots prière, méditation, contemplation, pour traduire l'intensité de l'amour que nous ressentons pour une femme. Nous aussi, nous renonçons à la mémoire, à l'intelligence et à la science, et nous aussi nous subissons l'épreuve du dépouillement, de la *noche sombre*, avec parfois, en manière de récompense, une sorte de paix. On a qualifié l'acte amoureux lui-même de « petite mort »; les amants connaissent parfois aussi la petite paix. C'est étrange de me surprendre à écrire ces phrases, comme si j'aimais ce qu'en réalité je hais. Il m'arrive de ne pas reconnaître mes propres pensées. Que sais-je du sens de mots tels que « la nuit sombre », que sais-je de la prière, moi qui n'ai qu'une prière ? Ces mots, je les ai hérités, voilà tout, comme un mari à qui la mort laisse la possession inutile de vêtements de femme, de parfums, de crèmes de beauté... Et cependant, il y avait cette paix...

C'est ainsi que je me rappelle ces premiers mois de guerre — était-ce une drôle de paix en même temps qu'une drôle de guerre ? Elle me semble, à présent, avoir étendu ses bras de bien-être et de réconfort sur tous ces mois de doute et d'attente, mais, même à cette époque, la paix devait, je le suppose, se marquer çà et là de malentendus et de suspicions. De même que, ce premier soir, j'étais rentré chez moi sans exaltation, n'éprouvant que de la tristesse et de la résignation, de même, les jours qui suivirent, je rentrai mainte et mainte fois avec la certitude de n'être qu'un amant de plus parmi beaucoup d'autres, disons le favori du moment. Cette femme à qui je vouais un amour si obsédant que lorsque je m'éveillais au milieu de la nuit je trouvais immédiatement sa pensée dans mon cerveau, et renonçais pour elle au sommeil, cette femme semblait me consacrer tout son temps. Et cependant, je ne parvenais pas à avoir confiance. Dans l'acte amoureux, je pouvais encore montrer quelque arrogance, mais, une fois seul, je n'avais qu'à me regarder dans un miroir pour y voir surgir le doute, sous l'aspect d'un visage ridé et d'une jambe infirme. Pourquoi moi ? Il y avait toujours des occasions où nous ne pouvions pas nous retrouver : les rendez-vous avec le dentiste ou chez le coiffeur, les jours où Henry recevait, d'autres où ils étaient seuls. Il ne servait à rien de me répéter qu'elle n'avait dans sa propre maison aucune possibilité de me tromper (avec l'égoïsme d'un amant j'employais déjà ce terme évocateur d'un devoir qui n'existe pas) pendant qu'Henry était occupé par les pensions des veuves ou — car il fut peu après nommé dans un autre service — par la distribution des masques à gaz et le dessin de boîtes en carton d'un modèle agréé par l'Etat. Ne savais-je pas qu'il est possible de faire l'amour dans les circonstances les plus dangereuses, pourvu que le désir y soit? La méfiance grandit avec les succès d'un amant. Que dis-je? A notre rencontre suivante, notre étreinte se passa exactement de la façon que j'aurais déclarée impossible.

Je m'éveillai avec, dans l'esprit, la tristesse qu'y avait fait naître la prudence de son dernier conseil, mais, au bout de trois minutes d'attente, la voix de Sarah au téléphone avait dispersé ce nuage. Je n'ai jamais, avant elle ou depuis, connu d'autre femme qui eût ce pouvoir de changer du tout au tout mon humeur rien qu'en me parlant au téléphone, et lorsqu'elle entrait dans une pièce ou posait sa main sur mon flanc, elle créait immédiatement la confiance absolue que je perdais à chaque séparation.

— Allo, dit-elle, est-ce que je vous réveille?
— Non. Quand puis-je vous voir? Ce matin?
— Henry a un rhume. Il reste à la maison.
— Si seulement vous pouviez venir ici...
— Il faut que je reste pour répondre au téléphone.
— A cause d'un simple rhume?

La veille au soir, je m'étais senti tout amitié et sympathie pour Henry, mais voilà qu'il devenait déjà

l'ennemi, celui dont on se moque, à qui l'on tient rigueur, et que secrètement l'on dénigre.
— Il a complètement perdu la voix.
L'absurdité de cette maladie me causa un plaisir méchant: ce fonctionnaire ministériel aphone exposant en inutiles chuchotements rauques des histoires de veuves de guerre!
— N'y a-t-il pas moyen de vous voir quand même?
— Mais si.
La ligne demeura un instant silencieuse et je crus qu'on nous avait coupés. J'appelai:
— Allo! allo!
Mais Sarah était en train de réfléchir, c'est tout, elle réfléchissait soigneusement, calmement, rapidement, afin de me donner sans hésitation la réponse exacte.
— A une heure, je porterai à Henry son déjeuner au lit sur un plateau. Nous pourrions, vous et moi, manger des sandwiches dans le salon. Je vais lui dire que vous voulez me parler du film... ou de cette chose que vous écrivez.
Dès qu'elle eut raccroché, mon sentiment de confiance fut lui aussi interrompu et je me demandai combien de fois, dans le passé, elle avait fait des arrangements de ce genre. Quand je me rendis chez elle, j'avais en sonnant à la porte la sensation d'être un ennemi... ou un détective prêt à surveiller les paroles qu'elle prononcerait, comme Parkis et son fils devaient, quelques années plus tard, surveiller ses mouvements. Puis la porte s'ouvrit et la confiance revint.
Il n'était pas question de distinguer, à cette époque, lequel de nous désirait l'autre... nos deux désirs ne

faisaient qu'un. Henry, assis dans son lit, calé par deux oreillers, enveloppé dans sa robe de chambre, en lainage vert, eut son plateau de déjeuner, et dans la pièce au-dessous, sur le plancher de bois dur, soutenus par un seul coussin et la porte entrouverte, nous fîmes l'amour. Quand le moment vint, je dus poser doucement la main sur la bouche de Sarah pour étouffer son étrange, douloureux et furieux cri d'abandon, afin qu'Henry ne l'entendît pas de là-haut.

Quand je pense que mon intention première avait été simplement d'obtenir d'elle de la documentation! Accroupi sur le sol à côté d'elle, je me perdais dans ma contemplation comme si je ne devais jamais plus revoir cela: ses cheveux d'un brun indécis répandus sur le parquet, comme une flaque d'alcool, son front couvert de sueur, tandis qu'elle haletait comme un jeune athlète parvenu au terme de sa course et gisant dans l'épuisement de sa victoire.

Alors, nous entendîmes craquer la marche. Pendant quelques secondes, nous ne bougeâmes ni l'un ni l'autre. Les sandwiches intacts étaient empilés sur la table, à côté des verres qui n'avaient pas été emplis.

— Il est descendu, murmura Sarah.

Elle alla s'asseoir dans un fauteuil, je posai une assiette sur ses genoux et un verre à côté d'elle.

— Et s'il a entendu en passant, dis-je.

— Il ne comprendrait pas ce que cela signifie.

Je dus paraître incrédule car elle m'expliqua d'un air de tendresse mélancolique:

— Pauvre Henry! Cela ne m'est jamais arrivé, pas une seule fois pendant ces dix années.

Mais nous n'étions, malgré tout, pas très sûrs d'avoir échappé au danger. Nous restâmes muets, à attendre un nouveau craquement de la marche. Ma voix rendit un son faux et fêlé quand je dis un peu trop fort:

— Je suis content que cette scène des oignons vous ait plu.

Alors, Henry poussa le battant de la porte et avança la tête. Il tenait contre lui une bouillotte enveloppée de flanelle grise.

— Salut, Bendrix, chuchota-t-il.

— Tu n'aurais pas dû aller chercher ça toi-même, dit Sarah.

— Voulais pas te déranger.

— Nous parlions du film d'hier soir.

— J'espère que vous avez tout ce qu'il vous faut, me dit-il en un murmure enroué.

Il regarda la bouteille de bordeaux que Sarah avait sortie pour moi.

— Tu aurais dû lui donner du « 23 », souffla-t-il de sa voix sans dimensions.

Puis il se glissa hors de la pièce, étreignant la bouillotte dans sa housse grise, et nous nous retrouvâmes seuls.

— Cela vous contrarie? demandai-je.

Et elle secoua la tête.

Je ne savais pas très exactement ce que j'avais voulu dire. Je crois que je me demandais si la vue d'Henry avait fait naître en elle quelque remords, mais elle avait un merveilleux talent pour éliminer le remords. Différente de nous tous, elle échappait à la hantise de la culpabilité. Pour elle, quand une chose était faite, elle était faite: le remords s'éteignait avec la fin de l'acte. Si Henry nous avait surpris, elle aurait trouvé déraisonnable de sa part d'éprouver autre chose qu'une colère passagère. On dit que les catholiques sont délivrés au confessionnal de la main-morte du passé... Certes, à ce point de vue, on eût pu dire de Sarah que c'était une catholique-née, bien qu'elle crût en Dieu aussi peu que moi-même. Du moins le pensais-je alors; aujourd'hui, je ne sais plus.

Si mon récit n'arrive pas à suivre la ligne droite, c'est que je suis perdu dans une terre inconnue: je n'ai pas de cartes pour m'y diriger. Je me demande parfois si dans tout ce que j'écris en ce moment il y a une seule chose qui soit vraie. J'ai connu cet après-midi-là un sentiment de confiance totale lorsqu'elle me déclara brusquement, sans que je l'eusse interrogée:

— Je n'ai jamais aimé quelqu'un ou quelque chose autant que je vous aime.

Assise dans ce fauteuil, un sandwich à moitié mangé à la main, elle avait l'air de s'abandonner aussi entièrement qu'elle l'avait fait cinq minutes avant sur le plancher de bois dur. La plupart d'entre nous hésiteraient à formuler cette affirmation sans réserve: nous nous rappelons, nous prévoyons et nous doutons. Sarah ne doutait pas. Le moment présent seul importait. On dit que l'éternité n'est pas un prolongement du temps, mais une absence de temps, et j'ai parfois l'impression que l'abandon de Sarah touchait cet étrange point mathématique d'infini, un point sans largeur, sans place dans l'espace. Qu'importait le temps, le passé tout entier et les autres hommes que de temps en temps (voici ce mot qui revient encore) elle avait peut-être connus, ou tout l'avenir au cours duquel elle prononcerait la même phrase et donnerait la même sensation de vérité? Quand je répondis que je l'aimais moi aussi, de cette manière, c'est moi qui mentais, car je ne perds jamais la conscience du temps; pour moi, le présent n'est jamais ici; c'est toujours l'année dernière ou la semaine prochaine.

Elle ne mentait pas, même lorsqu'elle disait: « Personne d'autre. Jamais plus. » Il y a des contradictions dans le temps qui n'existent pas sur le point mathématique, voilà tout. Elle possédait une capacité d'amour tellement plus grande que la mienne; je ne pouvais pas isoler l'instant présent derrière un rideau, je ne pouvais pas oublier et je ne pouvais pas ne pas avoir peur. Même pendant l'acte d'amour, j'étais comme un policier à la recherche des preuves d'un crime qui n'a pas encore été commis et quand, plus de quatre années après, j'ouvris la lettre de Parkis, les preuves étaient encore là, toutes prêtes dans mon souvenir, pour ajouter à mon amertume.

CHAPITRE II

La lettre contenait ce qui suit:

Cher Monsieur,
J'ai le plaisir de vous apprendre que mon fils et moi nous avons lié connaissance avec la domestique du numéro 17, ce qui a permis à l'enquête d'avancer plus rapidement en ce que je parviens à jeter quelquefois un coup d'œil sur le carnet de rendez-vous de la personne, donc déplacements connus, aussi à examiner jour par jour le contenu de sa corbeille à papier, d'où j'ai tiré l'intéressante pièce ci-jointe que vous voudrez bien me retourner avec vos observations. La personne en question tient un journal, depuis plusieurs années, mais jusqu'à présent la domestique, que je désignerai désormais pour plus de sécurité sous le nom de mon amie, n'a pas encore pu mettre la main dessus, à cause que la personne garde l'objet sous clef, ce qui peut être ou ne pas être une circonstance suspecte. A part l'importante pièce à conviction jointe à cette lettre, la personne semble passer une grande partie de son temps à ne pas se rendre aux rendez-vous fixés dans son agenda, lequel doit être considéré comme un masque,

bien qu'étant personnellement opposé à tout jugement vulgaire et à tout parti pris dans une investigation de cet ordre où la seule et stricte vérité doit être découverte dans l'intérêt de toutes les parties.

Nous ne sommes pas meurtris seulement par la tragédie, le grotesque aussi porte des armes, des armes ridicules et sans dignité. Par moments, j'avais envie de rouler en boule les rapports verbeux, évasifs, inefficaces de Mr Parkis et de les lui enfoncer dans la gorge en présence de son encombrant petit garçon. C'était comme si, en m'efforçant à prendre Sarah au piège (... mais à quelle fin? pour faire du mal à Henry, ou m'en faire à moi-même?) j'avais introduit dans notre intimité un clown et ses culbutes. Rapports intimes. Rien que cette expression me donne un arrière-goût des procès-verbaux de Mr Parkis. N'a-t-il pas écrit: « Bien que sans preuves directes que des rapports intimes aient eu lieu au Nº 16, Cedar Road, la personne en question a manifesté un indiscutable désir de se dissimuler. » Mais cela est venu plus tard. Dans celui de ce jour-là, j'appris seulement qu'en deux circonstances où Sarah avait noté qu'elle avait rendez-vous avec son dentiste et sa couturière, elle n'était allée ni chez l'un ni chez l'autre (en admettant que ces rendez-vous fussent réels) et qu'elle avait échappé à la filature. Alors, en retournant le brutal document de Mr Parkis, rédigé à l'encre violette, sur du papier à lettres bon marché, je découvris l'écriture nette et hardie de Sarah elle-même. Je n'aurais pas cru pouvoir la reconnaître au bout de deux ans ou presque.

Ce n'était qu'un chiffon de papier épinglé au dos du rapport et c'était marqué d'un grand A au crayon rouge. Sous cet A, Mr Parkis avait noté : « Il importe, en vue de poursuites judiciaires possibles, que toute preuve écrite soit retournée pour classement au dossier. » Le chiffon de papier avait été repêché dans la corbeille à papier et les plis en avaient été soigneusement effacés comme eût pu le faire la main d'un amant. Et il n'était pas douteux que cette lettre avait été adressée à un amant :

Je n'ai pas besoin de vous écrire ou de vous parler, vous savez tout avant que je puisse parler, mais quand on aime, on éprouve le besoin d'employer les vieux procédés, ceux qu'on a toujours employés. Je sais que je commence seulement à aimer, mais j'ai déjà envie de tout abandonner, êtres et choses, pour vous : seules la crainte et l'habitude me retiennent. Mon...

C'était tout. Les mots écrits me crevaient les yeux et je ne pouvais m'empêcher de penser que j'avais oublié jusqu'à la dernière ligne des billets qu'elle m'avait autrefois adressés. Ne les aurais-je pas gardés s'ils avaient contenu une aussi totale confession de son amour, et de crainte que je ne fusse tenté de les garder, n'avait-elle pas toujours pris grand soin, à cette époque, d'écrire comme elle disait, « entre les lignes » ? Mais ce dernier amour avait fait éclater la cage des lignes. Il avait refusé de demeurer caché entre leurs barreaux. Je me rappelais un mot de notre code : oignons. Dans notre correspondance nous avions permis à ce mot de représenter avec discrétion notre passion. L'amour devenait: « oignons », l'acte amoureux lui-même: « oignons ». « J'ai déjà le désir de tout abandonner, êtres et choses, pour vous... » « Oignons, pensai-je avec haine, oignons, voilà ce qu'on disait de mon temps. »

J'écrivis « sans commentaire » au bas du chiffon de papier, le remis dans une enveloppe et l'adressai à Mr Parkis, mais lorsque je m'éveillai dans la nuit, je pouvais me réciter toute la lettre, et le mot « abandonner » revêtait la forme de diverses attitudes physiques. Je restai étendu sur mon lit, incapable de dormir, mes souvenirs, l'un après l'autre, me meurtrissant de haine et de désir: sa chevelure répandue en éventail sur le plancher et la marche d'escalier qui craquait; un jour, à la campagne, où nous nous étions allongés dans un fossé, invisibles de la route, et où je pouvais voir sur le sol durci étinceler la gelée blanche entre les frondaisons de ses cheveux, au moment du paroxysme, un tracteur passa lourdement près de nous et son conducteur ne tourna même pas la tête. Pourquoi la haine ne peut-elle tuer le désir? J'aurais donné n'importe quoi pour dormir. Je me serais comporté comme un potache si j'avais cru à l'efficacité des moyens de remplacement. Mais j'avais essayé à une certaine époque de trouver un moyen de remplacement et il était resté sans résultat.

Je suis un homme jaloux. Il paraîtra stupide que j'écrive ces mots, au milieu de ce qui n'est, sans doute, qu'un long récit de jalousie: jalousie d'Henry, jalousie de Sarah et jalousie de cet autre que Mr Parkis poursuivait avec tant de maladresse. Maintenant que tout cela appartient au passé, je ne sens ma jalousie d'Henry qu'aux instants où mes souvenirs deviennent particulièrement aigus (parce que, je le jure, si nous avions été mariés, entre la loyauté de Sarah et la force de mon désir, nous aurions pu être heureux toute une vie), mais il reste encore la jalousie que me cause mon rival — mot mélodramatique, péniblement impuissant à exprimer la satisfaction de soi, la confiance et le succès dont il jouit toujours. Je pense parfois qu'il ne m'admettrait même pas comme faisant partie du tableau et je me sens grande envie d'attirer son attention sur moi, de lui crier à l'oreille: « Vous ne pouvez prétendre m'ignorer. Me voici. Malgré tout ce qui arriva dans la suite, Sarah m'aimait alors. »

Nous avions, Sarah et moi, de longues discussions sur le sujet de la jalousie. J'étais jaloux, même du passé, dont elle me parlait avec franchise, à mesure qu'il surgissait incidemment, avec ses aventures qui ne signifiaient rien du tout (si ce n'est peut-être le désir inconscient de rechercher ailleurs ce spasme final qu'Henry n'avait, hélas, jamais réussi à lui procurer). Elle était aussi loyale envers ses amants qu'elle l'était envers Henry, mais au lieu d'être pour moi une source de réconfort (car il n'était pas douteux qu'elle saurait me montrer la même loyauté), cela m'irritait. Il y eut un temps où elle se moquait de mon irritation, refusant simplement de croire que cette irritation fût sincère, comme elle refusait de croire à sa propre beauté, et je me fâchais de la même façon lorsqu'elle refusait de se montrer jalouse de mon passé ou de mon possible avenir. Je ne voulais pas croire que l'amour pût prendre une autre forme que celle de mon amour: je mesurais l'amour à l'intensité de ma jalousie, et, naturellement, à ce compte, j'arrivais à la conclusion qu'elle ne m'aimait pas du tout.

Toutes nos discussions prenaient invariablement la même tournure et je n'en rapporterai qu'un exemple, parce qu'à cette occasion la discussion se termina par un acte... un acte stupide, ne menant nulle part, sinon finalement à ce doute qui vient toujours quand je commence à écrire, au sentiment qu'après tout elle avait peut-être raison et moi tort.

Je me rappelle avoir dit avec colère:

— Ce n'est rien de plus qu'un résidu de votre ancienne frigidité. Une femme frigide n'est jamais jalouse. Vous n'avez pas encore rattrapé le niveau des émotions humaines ordinaires.

J'étais furieux de ce qu'elle ne fît valoir aucune prérogative.

— Vous avez peut-être raison, disait-elle; je le répète, je veux que vous soyez heureux. Je déteste l'idée que vous puissiez être malheureux. Tout m'est égal à la condition que cela vous rende heureux.

— Vous cherchez des excuses, c'est tout. Si je couche avec quelqu'un, vous avez le sentiment que vous pouvez en faire autant... quand cela vous plaît.

— C'est une autre question. Je veux que vous soyez heureux, c'est tout.

— Vous accepteriez de me tenir la chandelle?

— Peut-être.

L'insécurité est le pire sentiment qu'éprouvent les amants; le mariage le plus pot-au-feu, le plus vide de désir semble parfois préférable. L'insécurité déforme le sens de tout et empoisonne la confiance. Dans une ville assiégée et aux abois, chaque sentinelle est un traître en puissance. Avant même que Mr Parkis existât, j'essayais de contrôler les faits et gestes de Sarah. Je la prenais en flagrant délit de petits mensonges, échappatoires qui n'avaient de cause que la crainte que je lui inspirais. Car je grossissais la moindre entorse à la vérité pour en faire une trahison et dans la plus franche déclaration je lisais un sens caché. Parce que je ne pouvais supporter l'idée qu'elle touchât même du bout des doigts un autre homme, je ne cessais de le redouter, et je voyais un abandon dans le geste le plus banal de ses mains.

— N'aimez-vous pas mieux me voir heureuse que triste? me demandait-elle avec une insoutenable logique.

— J'aimerais mieux mourir ou vous voir morte, répondais-je, qu'appartenant à un autre. Ce n'est pas une bizarrerie. C'est le fait de ceux qui aiment normalement. Demandez au premier venu. Tout le monde vous dira la même chose... ceux qui aiment vraiment.

Et je répétais pour la pousser à bout:

— Tous les gens qui aiment sont jaloux.

Nous étions dans ma chambre. Nous y étions venus pour faire l'amour à la fin d'un après-midi de printemps, heure où nous ne courions aucun risque. Pour une fois, nous avions plusieurs heures devant nous, mais je gâchai tout, de sorte qu'il ne nous restait plus d'amour à faire. Sarah, assise sur le lit, me disait:

— Pardon. Je n'avais pas l'intention de vous mécontenter. Sans doute avez-vous raison.

Mais je ne voulais pas la laisser en paix. Je la détestais, parce que je voulais penser qu'elle ne m'aimait pas. Je voulais débarrasser d'elle mon cœur et mes sens. Quel grief, je me le demande aujourd'hui, avais-je contre elle, qu'elle m'aimât ou non ? Elle m'avait été fidèle depuis près d'un an, elle m'avait procuré beaucoup de joie, elle avait supporté mes sautes d'humeur, et que lui avais-je donné en échange, à part un peu de plaisir passager ? Je m'étais lancé dans cette aventure les yeux ouverts, sachant qu'un jour elle se terminerait, et malgré cela, quand cette absence de sécurité, cette certitude logique d'un avenir sans espoir s'abattaient sur moi comme une folie mélancolique, je tourmentais et je harcelais Sarah, comme si j'avais voulu conjurer cet avenir, le faire apparaître immédiatement sur le seuil de la porte, tel un hôte indésiré et prématuré. Mon amour et mon appréhension agissaient à la façon d'une conscience. Si nous avions cru au péché, notre comportement eût été à peine différent.

— Vous seriez jalouse d'Henry, dis-je.
— Mais non. Je ne pourrais pas. C'est absurde.
— Si vous voyiez que votre ménage est menacé...
— Il ne peut pas l'être, répondit-elle avec une lassitude triste.

Et prenant ses paroles pour une insulte, je sortis de la chambre, descendis l'escalier et me précipitai dans la rue.

« Est-ce la fin, me demandai-je, en me jouant à moi-même la comédie. Il est bien inutile que je revienne sur mes pas. Si seulement je me délivre d'elle, ne pourrai-je fonder quelque part un tranquille foyer, basé sur l'amitié, et qui durera toute la vie? Alors, je vivrai peut-être sans jalousie parce que je n'aimerai pas assez: je serai sans inquiétude. » Et, bras dessus bras dessous, ma haine et la pitié que j'avais pour moi-même se promenaient comme des folles sans gardien, sur les Allées où descendait la nuit.

Au début de ce récit, j'ai dit que c'était une histoire de haine, mais je n'en suis pas convaincu. Peut-être ma haine est-elle aussi peu satisfaisante que mon amour. Je viens de lever les yeux de sur ma page, et j'ai aperçu ma figure dans un miroir placé près de mon bureau; j'ai pensé: est-ce là vraiment l'image de la haine? Car mon reflet m'avait rappelé le visage que nous avons tous vu, dans notre enfance, celui dont le regard rencontrait le nôtre dans la vitre des devantures, les traits brouillés par la buée de notre haleine tandis que nous contemplions, avec quelle envie! les brillants objets inaccessibles de l'intérieur.

Ce doit être au cours du mois de mai 1940 que cette dispute éclata. La guerre nous avait aidés de bien des manières et j'en étais presque arrivé à la considérer sous ce jour: comme une complice peu sûre et peu recommandable de ma liaison amoureuse. (Je mettais de propos délibéré, sur ma langue la soude caustique de ce mot « liaison » parce qu'il suggère l'idée de commencement et de fin.) Je crois qu'à cette époque, les Allemands avaient envahi les Pays-Bas: le printemps répandait la fade odeur de cadavre qu'ont les choses condamnées, mais rien n'avait d'importance pour moi que deux faits pratiques: Henry avait été changé de ministère, il travaillait à la Sécurité intérieure et rentrait tard le soir; ma logeuse s'était installée au sous-sol de la maison par crainte des bombardements aériens, on ne la trouvait plus penchée sur la rampe du premier étage pour surprendre les visiteuses indésirables. Ma propre vie n'avait subi aucun changement en raison de mon infirmité (j'ai un pied légèrement plus court que l'autre à la suite d'un accident survenu quand j'étais enfant); ce ne fut que lorsque les bombardements aériens commencèrent que je jugeai nécessaire de m'engager dans la défense passive. Mais à cette époque, je vivais comme si la guerre et moi nous n'avions rien de commun.

Ce soir-là, je débordais encore de haine et de suspicion en arrivant à Piccadilly. Plus que tout au monde, je voulais faire souffrir Sarah. Je projetais de ramener une femme chez moi et de m'étendre avec elle sur le lit même où j'avais coutume d'étreindre Sarah; comme si j'avais compris que la seule façon de la meurtrir était de me meurtrir moi-même. Les rues, à cette heure, étaient noires et tranquilles malgré les taches et les faisceaux de lumière que les projecteurs peignaient sur le ciel sans lune. On ne pouvait distinguer les visages des femmes qui attendaient sous les portes des maisons, ou à l'entrée des abris inutilisés. Elles étaient forcées de vous faire des signaux, à la manière des vers luisants, en allumant leurs lampes de poche. Tout au long de Sackville-Street, les petites lumières clignotaient et s'éteignaient. Je me surpris à me demander ce que faisait Sarah pendant ce temps-là. Etait-elle rentrée chez elle ou attendait-elle, sans bouger, dans l'espoir de mon retour?

Une femme braqua sur moi sa lampe et dit:
— Tu viens chez moi, chéri?
Je fis non de la tête et passai mon chemin. Un peu plus loin, une fille jeune causait avec un homme; lorsqu'elle éclaira son visage pour le lui montrer, j'aperçus une chose jeune, brune, joyeuse, pas encore gâtée; l'animal qui n'a pas encore compris qu'il est captif. Je m'arrêtai, puis remontai la rue dans leur direction; en me voyant approcher, l'homme la quitta et je lui parlai:
— Voulez-vous venir boire un verre?
— Vous rentrerez avec moi après?
— Oui.
— Un petit verre serait le bienvenu.

Nous entrâmes chez un bistrot au bout de la rue et je commandai deux whiskies, mais, en la regardant boire, je n'arrivais pas à voir sa figure: celle de Sarah me la cachait. La fille était plus jeune que Sarah; elle n'avait sûrement pas plus de dix-neuf ans; elle était plus belle et l'on aurait même pu dire moins corrompue, mais seulement parce qu'il y avait moins à corrompre. Je m'aperçus que je n'avais pas plus envie d'elle que je n'avais envie de la société d'un chien ou d'un chat. Elle me raconta qu'elle avait un gentil petit appartement à l'étage supérieur d'une maison toute proche; elle me révéla le prix de son loyer, l'âge qu'elle avait, le lieu de sa naissance; et le fait qu'elle avait travaillé pendant un an dans un café. Elle me déclara qu'elle ne suivait pas tous les hommes qui lui adressaient la parole, mais qu'elle avait vu tout de suite que j'étais quelqu'un de bien élevé. Elle me confia qu'elle avait un canari baptisé *Jones* du nom du monsieur qui le lui avait donné. Elle se plaignit de la difficulté de trouver du mouron à Londres. Je pensais: « Si Sarah est encore chez moi, je peux l'appeler au téléphone. » J'entendis la fille me demander si j'avais un jardin et dans ce cas est-ce que je pourrais de temps en temps penser à son canari?

— Ça vous ennuie pas que je vous demande ça? ajouta-t-elle.

Comme je l'examinais tout en buvant mon whisky, je pensais qu'il était bien étrange de ne ressentir aucun désir. C'était comme si, échappant brusquement à l'âge des confusions charnelles, j'avais atteint d'un coup l'état adulte. Ma passion pour Sarah avait tué à jamais la simple jouissance. Jamais plus je ne pourrais éprouver du plaisir avec une femme, sans amour.

Et pourtant, certes, ce n'était pas l'amour qui m'avait conduit depuis les Allées jusqu'à cet estaminet; je m'étais répété tout le long du chemin que c'était la haine, et je me le dis encore en écrivant cette histoire de Sarah, dans mon effort pour me délivrer d'elle à jamais, puisque je me suis toujours répété que si elle mourait je pourrais l'oublier.

Je sortis de l'estaminet, abandonnant la fille devant son verre de whisky à terminer et un billet d'une livre en guise de baume pour son amour-propre. Je suivis New Burlington-Street jusqu'à une cabine téléphonique. Je n'avais pas de lampe électrique et je dus gratter plusieurs allumettes, l'une après l'autre, avant de pouvoir former mon numéro en entier. Alors, j'entendis la sonnerie et j'imaginai l appareil posé sur mon bureau;

je savais exactement le nombre de pas que Sarah devrait faire si elle était assise dans un fauteuil, ou si elle était étendue sur le lit. Et cependant je le laissai sonner dans la pièce vide pendant une demi-minute. Ensuite, je téléphonai chez elle et la bonne m'apprit que Madame n'était pas encore rentrée. Je l'imaginai parcourant les Allées, dans le black-out; l'endroit n'était pas très sûr à cette époque. Je regardai ma montre et pensai que si je n'avais pas agi comme un idiot nous aurions encore trois heures à passer ensemble. Je rentrai chez moi tout seul et essayai de lire un livre, mais j'avais l'oreille tendue vers le téléphone qui ne sonna pas. Mon orgueil m'empêcha de l'appeler une seconde fois. A la fin, j'allai me coucher et je pris une double dose de somnifère, de sorte que la première chose dont j'eus conscience, le lendemain matin, fut au bout du fil la voix de Sarah qui me parlait comme si rien n'était arrivé. C'était la paix retrouvée, dans sa perfection, jusqu'à l'instant où je reposai le récepteur, et aussitôt le démon qui habitait mon cerveau me souffla que la perte de ces trois heures n'avait pas compté du tout pour elle.

Je n'ai jamais compris pourquoi les gens qui peuvent avaler l'énorme invraisemblance d'un Dieu en personne rechignent devant l'idée d'un Diable en personne. Je connais si intimement la façon dont ce démon travaille dans mon imagination. Aucune affirmation de Sarah n'était à l'abri de son astucieuse méfiance bien qu'il attendît habituellement qu'elle fût partie pour se manifester. Il inspirait nos querelles longtemps avant de les faire éclater; il était moins l'ennemi de Sarah que l'ennemi de l'amour, et n'est-ce pas précisément cela que le diable est supposé être ? Je puis imaginer que s'il existait un Dieu aimant, le diable serait poussé à détruire jusqu'à la plus faible, la plus imparfaite imitation de cet amour. Ne craindrait-il pas de voir se développer cette habitude d'aimer, et n'essaierait-il pas de nous amener par la ruse à devenir des traîtres qui l'aideraient à exterminer l'amour ? S'il existe un Dieu qui fait de nous ses instruments et tire ses saints de la substance qui nous compose, le diable a peut-être aussi son ambition ; il rêve peut-être d'éduquer même un individu comme moi, voire le pauvre Parkis, pour en faire ses saints particuliers, animés d'un fanatisme d'emprunt, et prêts à détruire l'amour partout où nous le trouverions.

CHAPITRE III

Car il me sembla découvrir dans le procès-verbal suivant de Parkis un enthousiasme non déguisé pour le jeu du diable. Il avait enfin flairé la piste de l'amour et désormais, son petit garçon le suivant sur ses talons, comme un retriever, il le pourchassait. Il avait découvert l'endroit où Sarah passait une si grande partie de son temps: mieux encore, il avait acquis la certitude que ces visites étaient clandestines. Je dus reconnaître que Mr Parkis s'était révélé un détective fort habile. Il avait réussi avec l'aide de son fils, à faire venir la bonne des Miles jusqu'à Cedar Road et devant le No 16 au moment où la « personne en question » se dirigeait vers cette maison. Sarah s'était arrêtée pour parler à la servante dont c'était le jour de sortie et la fille lui avait présenté le jeune Parkis. Sarah avait ensuite poursuivi son chemin et tourné au coin de la rue suivante où Parkis lui-même attendait. Il lui vit faire quelques pas, puis revenir en arrière. Quand elle se fut assurée que la bonne et le petit Parkis étaient hors de vue, elle sonna au No 16. Mr Parkis se mit alors à l'œuvre pour connaître le nom des locataires du No 16. Ce ne fut pas très facile, car la maison était divisée en appartements et il lui était impossible de savoir lequel des trois boutons de sonnette Sarah avait pressé. Il me promettait un procès-verbal définitif dans quelques jours. La seule chose à faire, la prochaine fois que Sarah partirait dans cette direction, serait de la devancer et de répandre un peu de poudre sur les trois sonnettes.

Il est évident qu'à part la pièce A nous ne possédons aucune preuve d'inconduite concernant la personne en question. Si, sur la foi de nos procès-verbaux, ces preuves matérielles deviennent indispensables en vue de poursuites judiciaires, il sera peut-être nécessaire, après un intervalle décent, de suivre la personne jusque dans l'appartement. On aurait alors besoin d'un second témoin qui pourrait identifier la personne en question. Il n'est pas nécessaire de la prendre sur le fait; un certain désordre dans les vêtements et une certaine agitation pourraient paraître suffisants aux yeux de la Cour.

La haine ressemble beaucoup à l'amour physique: elle a ses moments de crise et ses périodes de calme. J'étais capable de penser, en lisant le rapport de Mr Parkis: « Pauvre Sarah! » Je venais d'atteindre au spasme de ma haine, j'étais satisfait. J'étais capable de la plaindre d'être ainsi traquée, aux abois. Elle n'avait commis d'autre crime que l'amour, et voilà que Parkis et son petit garçon surveillaient chacun de ses mouvements, conspiraient avec sa domestique, mettaient de la poudre sur des sonnettes, projetaient de faire violemment irruption dans une paix qui était peut-être la seule paix qui lui fût accordée à ce moment-là. J'avais presque envie de déchirer tous ces rapports et de donner l'ordre aux espions de la laisser tranquille. Peut-être l'aurais-je fait si, me trouvant au cercle littéraire miteux auquel j'appartenais, je n'avais, en ouvrant un numéro du *Tatler*, aperçu la photographie d'Henry. Henry avait « réussi »; à la dernière promotion du Jour de naissance royal il avait été fait CBE[1] pour services rendus au ministère; il avait été élu président d'une commission royale, et je le voyais photographié au cours d'une soirée de gala pour la présentation d'un film britannique intitulé: *La Dernière Sirène*. Il semblait pâle, les yeux écarquillés dans la lumière du magnésium, Sarah à son bras. Elle avait baissé la tête pour éviter l'éclair, mais j'aurais reconnu n'importe où ces cheveux drus et crêpés qui résistaient aux doigts ou les prenaient dans leurs lacs. J'eus brusquement envie de tendre la main pour la toucher, pour toucher les cheveux de sa tête et sa secrète toison. Je l'aurais voulue allongée à côté de moi, j'aurais voulu en tournant la tête sur l'oreiller la voir et lui parler. J'aspirais à l'odeur et au goût presque imperceptibles de sa peau, et j'avais devant moi Henry, qui se présentait aux photographes de la presse avec l'air satisfait et sûr de soi d'un directeur de cabinet.

Je m'assis sous un trophée de chasse offert au cercle par sir Walter Besant en 1898 et j'écrivis à Henry. Je lui écrivis que j'avais une chose très importante

---

[1] Compagnon de l'Ordre de l'Empire britannique.

à discuter avec lui; pourrait-il déjeuner avec moi, n'importe quel jour de la semaine suivante, à son choix ? Il me téléphona avec une grande promptitude, ce qui était un trait de son caractère, et suggéra que je fusse au contraire son invité : je n'ai jamais connu un homme qui acceptât aussi mal d'être l'obligé. Je ne me rappelle pas l'excuse qu'il me donnait, mais je sais qu'elle m'irrita. Je crois qu'il alléguait qu'on avait reçu à son cercle d'excellent porto, mais la véritable raison, c'est qu'il lui était odieux de devoir une faveur à quelqu'un, fût-ce l'insignifiant cadeau d'un repas. Il se doutait peu de celui que je lui réservais. Il avait choisi le samedi et ce jour-là mon cercle est presque vide. Les journalistes de la presse quotidienne n'ont pas d'article à fournir, les inspecteurs d'écoles sont rentrés chez eux à Bromley et Streatham, je ne sais jamais très bien ce qui arrive ce jour-là aux membres du clergé, peut-être restent-ils chez eux pour préparer leurs sermons. Quant aux écrivains (pour qui fut fondé le cercle), ils sont presque tous suspendus aux murs : Conan Doyle, Charles Garvice, Stanley Weyman, Nat Gould, avec, de loin en loin, un visage plus illustre et plus familier. Les vivants, vous pourriez les compter sur les doigts d'une seule main. Je me suis toujours senti à l'aise dans ce cercle parce que j'avais bien peu de chances d'y rencontrer un autre écrivain.

Je me souviens qu'Henry commanda un steak viennoise, ce qui montrait clairement son innocence. Je crois qu'il n'avait aucune idée de ce qu'on allait lui servir et qu'il s'attendait à une espèce de Wiener Schnitzel. Ainsi perdu et contraint de jouer le jeu loin de son terrain familier, il était trop mal à l'aise pour critiquer, et il parvint héroïquement, malgré tout, à faire descendre ce mélange rose et spongieux. Je me rappelai l'apparition pompeuse éclairée par le magnésium et ne fis aucune tentative pour le prévenir en l'entendant choisir ensuite un Cabinet Pudding[1]. Au cours de cet abominable repas (le cercle, ce jour-là, s'était surpassé) nous prîmes d'infinies précautions pour ne parler de rien. Henry fit de son mieux pour donner un aspect de secret d'Etat aux travaux d'une commission royale dont les comptes rendus paraissaient au jour le jour dans la presse. Nous allâmes prendre le café dans le fumoir où nous nous trouvâmes absolument seuls, près du feu, au milieu d'un désert de fauteuils en crin noir. Je pensai que toutes les cornes qui garnissaient les murs nous convenaient bien à l'un comme à l'autre, et mettant les pieds sur le garde-feu à l'ancienne mode, j'emprisonnai Henry dans le coin où il était assis.

— Comment va Sarah ? demandai-je.
— Pas mal, répondit-il évasivement.

Il goûta le porto avec soin et circonspection ; je suppose qu'il n'avait pas oublié le steak viennoise.

— Etes-vous toujours inquiet ?

Il détourna les yeux, d'un air malheureux.

— Inquiet ?
— Mais oui, vous étiez très inquiet. Vous me l'avez dit.

---

[1] Entremets particulièrement pesant, fait de farine, lait, raisins secs, etc.

— Je ne me rappelle pas. Elle va assez bien.

Il répétait son explication indigente, comme si j'avais fait allusion à la santé de sa femme.

— Avez-vous jamais consulté ce détective?

— J'espérais que vous l'aviez oublié. J'étais très fatigué, ce jour-là: cette commission royale à mettre d'aplomb. J'étais surmené, vraiment.

— Vous rappelez-vous que je vous ai proposé d'aller le voir à votre place?

— Nous devions être tous les deux un peu déprimés.

Il fixait attentivement les vieux trophées de chasse et ses efforts pour lire le nom du donateur lui faisaient cligner les yeux.

— Il me semble que vous en avez une collection, de têtes!... dit-il d'un air stupide.

Mais je n'allais pas le lâcher si facilement.

— Je suis allé le trouver quelques jours plus tard.

Il posa son verre et dit:

— Bendrix, vous n'en aviez pas le droit...

— Je paie toutes les dépenses.

— Vous avez eu ce toupet infernal!

Il se leva, mais je l'avais coincé dans un endroit qu'il ne pouvait quitter sans se livrer à la violence, et la violence n'est pas dans le caractère d'Henry.

— Ne seriez-vous pas content d'avoir la preuve de son innocence? dis-je.

— Il n'y a rien à prouver. Je voudrais m'en aller, s'il vous plaît.

— Je pense que vous devriez lire les rapports.

— Je n'ai aucune intention...

— Alors, je crois que je vais vous lire le passage

qui a trait aux visites clandestines. Sa lettre d'amour, je l'ai rendue aux détectives afin qu'ils la classent dans le dossier. Mon cher Henry, on vous a fait prendre pas mal de vessies pour des lanternes.

Je crus cette fois qu'il allait me frapper. S'il l'avait fait, avec quel plaisir je lui aurais rendu ses coups, à cet imbécile envers qui Sarah s'était montrée, à sa manière, si stupidement fidèle pendant tant d'années, mais au même moment le secrétaire du cercle entra dans la pièce. C'était un homme à la longue barbe grise, qui portait un gilet couvert de taches de nourriture, se donnait des airs de poète victorien, mais n'écrivait en fait que de tristes petits « Souvenirs » sur les chiens qu'il avait connus. *(Fido, toujours Fido*, avait eu beaucoup de succès en 1912.)

— Ah! Bendrix, dit-il, il y a bien longtemps que je ne vous ai vu ici.

Je le présentai à Henry et il lança avec la rapidité d'un garçon coiffeur:

— J'ai lu les rapports jour par jour.

— Quels rapports?

Pour une fois, son travail ne prit pas d'emblée le premier rang dans l'esprit d'Henry, quand ce mot de rapports fut prononcé.

— Ceux de la commission royale.

Lorsqu'il partit enfin, Henry me dit:

— Maintenant, voulez-vous, je vous prie, me donner ces rapports et me laisser passer.

Je crus qu'il avait réfléchi pendant que le secrétaire était avec nous, et je lui tendis le dernier procès-verbal. Il le jeta au feu sans hésitation et l'y enfonça

avec le tisonnier. Je ne pus m'empêcher de trouver que son geste avait de la dignité.
— Qu'allez-vous faire ? demandai-je.
— Rien.
— Vous n'avez pas supprimé les faits.
— Que les faits aillent se faire foutre, dit Henry.
Je n'avais jamais entendu Henry employer un tel langage.
— Je pourrai toujours vous en faire tenir une copie carbone.
— Voulez-vous me laisser partir, maintenant ? demanda-t-il.
Le démon avait terminé son œuvre, le spasme était venu. Je me sentais vidé de tout venin. J'ôtai mes jambes du garde-feu et laissai passer Henry. Il quitta le cercle immédiatement, en oubliant son chapeau, ce pompeux chapeau noir que j'avais vu passer, ruisselant de pluie, sur les Allées... plusieurs siècles auparavant, me semblait-il, alors qu'il ne s'agissait que de quelques semaines.

CHAPITRE IV

J'espérais le rattraper ou du moins l'apercevoir au loin, sur cette longue perspective de Whitehall, et je le suivis en emportant son chapeau, mais il avait disparu. Je revins sur mes pas, ne sachant où aller. Le temps est une chose terrible, de nos jours: on en a toujours trop. Je regardai la vitrine du petit magasin, près du métro de Charing Cross, en me demandant si, au même instant, Sarah posait la main sur la sonnette enduite de poudre, dans Cedar Road, tandis que Mr Parkis la guettait au tournant. Si j'avais pu faire reculer le temps, je crois que je l'aurais fait: j'aurais laissé passer Henry, aveuglé par la pluie. Mais je commence à douter qu'une seule de mes actions puisse altérer le cours des événements. Henry et moi, nous sommes devenus des alliés, à notre façon, mais sommes-nous alliés contre une marée éternellement montante ?

Je traversai la rue, dépassai les voitures des marchands de fruits et pénétrai dans les Jardins Victoria. Il n'y avait pas grand monde sur les bancs, sous le ciel gris balayé de rafales, et j'aperçus Henry presque aussitôt, mais il me fallut un moment pour le reconnaître. Dans la rue, sans chapeau, il semblait se confondre avec tous les anonymes, les dépossédés, les gens qui viennent de banlieues pauvres et que personne ne connaît: le vieil homme qui donne à manger aux moineaux, la femme chargée d'un paquet dont le papier d'emballage est marqué Monoprix. Il était assis, tête penchée, les yeux fixés sur ses souliers. Il y avait si longtemps que je n'éprouvais de pitié que pour moi-même, pour moi-même exclusivement, qu'il me parut étrange de plaindre mon ennemi. Je posai doucement le chapeau à côté de lui et je me serais éloigné s'il n'avait relevé la tête et si je ne m'étais aperçu qu'il avait pleuré. Il avait certes parcouru un long chemin: les larmes appartiennent à un monde très différent de celui des commissions gouvernementales.

— Je vous demande pardon, Henry, dis-je.

Avec quelle facilité nous croyons pouvoir échapper à la culpabilité par un élan de contrition.

— Asseyez-vous, ordonna Henry avec l'autorité que donnent les larmes.

Et je lui obéis.

— J'ai réfléchi, ajouta-t-il. Avez-vous été son amant, Bendrix?

— Qu'allez-vous imaginer...

— C'est la seule explication.

— Je ne vois pas du tout ce que vous voulez dire.

— Et c'est aussi votre seule excuse, Bendrix. Ne comprenez-vous pas que ce que vous avez fait est... monstrueux?

Tout en parlant, il avait retourné son chapeau et il vérifiait la marque du fabricant.

— Vous devez penser, Bendrix, que je suis un parfait

imbécile de n'avoir rien deviné. Pourquoi ne m'a-t-elle pas quittée?
Fallait-il que je le renseigne sur le caractère de sa propre femme? Le poison recommençait à me travailler.
— Vous avez des revenus sûrs et appréciables. Vous représentez pour elle une habitude. Vous êtes la sécurité.

Il m'écoutait avec beaucoup de sérieux et d'attention comme si j'avais été en train de témoigner, sous serment, devant la commission. Je continuai avec fiel:
— Vous ne nous avez pas plus encombrés que vous n'avez encombré les autres.
— Ah! il y en a eu d'autres?
— J'ai pensé quelquefois que vous étiez au courant et que cela vous laissait indifférent. J'avais envie de m'expliquer avec vous, d'en parler comme nous le faisons aujourd'hui qu'il est trop tard. J'aurais voulu vous dire ce que je pensais de vous.
— Et que pensiez-vous de moi?
— Que vous étiez la maquerelle de Sarah. Vous avez maquerellé pour moi, et pour les autres, et en ce moment vous maquerellez pour le dernier. Vous êtes l'éternelle maquerelle. Pourquoi ne vous mettez-vous pas en colère, Henry?
— J'ignorais tout.
— Vous êtes entremetteur par ignorance. Maquereau parce que vous n'avez jamais appris à faire l'amour avec elle, de sorte qu'il lui fallait chercher ailleurs... Maquereau en lui fournissant toutes les facilités, à force d'être ennuyeux et bête; et c'est pourquoi, en ce moment, quelqu'un qui n'est ni ennuyeux ni bête est

en train de prendre du plaisir avec elle dans une maison de Cedar Road.

— Pourquoi vous a-t-elle quitté?

— Parce que je suis devenu, moi aussi, ennuyeux et bête. Mais je ne l'étais pas de naissance. C'est vous qui avez développé ça en moi. Parce qu'elle refusait de vous quitter, je suis devenu ennuyeux, je l'ai obsédée de mes plaintes et de ma jalousie.

— Les gens pensent beaucoup de bien de vos livres, dit-il.

— Les mêmes disent que vous présidez une commission de façon remarquable. Est-ce que notre foutu métier a la moindre importance?

— Je ne connais rien d'autre qui en ait, dit-il tristement, les yeux fixés sur le cumulus gris qui passait au-dessus de la rive sud.

Les mouettes volaient bas parmi les péniches, et la tour à fondre la grenaille se dressait toute noire dans cet éclairage d'hiver au milieu des entrepôts en ruine. L'homme qui donnait des miettes aux oiseaux était parti, ainsi que la femme au paquet enveloppé de papier marron, et, devant la gare, les marchands de fruits criaient, comme des bêtes dans le crépuscule. On aurait dit que les volets se fermaient à toutes les fenêtres du monde; bientôt, nous allions être jusqu'au dernier livrés à nos seules ressources.

— J'étais étonné que vous restiez si longtemps sans venir nous voir, dit Henry.

— Je suppose, en un sens, que nous étions parvenus au terme de l'amour. Nous ne pouvions rien faire d'autre ensemble. Avec vous, elle pouvait courir les magasins, préparer les repas, et s'endormir à vos côtés, mais avec moi elle pouvait faire l'amour et c'est tout.

— Elle a beaucoup d'affection pour vous, dit-il, comme si sa tâche était de me réconforter, comme si les yeux rougis de larmes étaient les miens.

— On ne se contente pas d'affection.

— Moi, je m'en contentais.

— Moi, je voulais que l'amour continue indéfiniment, sans jamais diminuer...

Je n'avais jamais parlé ainsi à personne, sauf à Sarah, mais la réponse d'Henry ne fut pas celle que Sarah m'aurait faite:

— Cela n'est pas dans la nature humaine, dit-il. Il faut savoir se contenter...

Sarah avait parlé autrement et tandis qu'assis à côté d'Henry dans les Jardins Victoria, je regardais mourir le jour, je me rappelai la fin de toute cette « liaison ».

CHAPITRE V

Elle m'avait dit, et ce furent presque les dernières paroles que je l'entendis prononcer, avant de la voir pénétrer, ruisselante de pluie, dans le vestibule, au retour de son rendez-vous galant:

— Vous n'avez pas besoin de craindre... L'amour n'a pas de fin. Même si nous cessons de nous voir...

Sa décision était déjà prise, mais je ne l'appris que le jour suivant, lorsque le téléphone n'offrit à mon appel que la bouche ouverte et silencieuse d'un mort.

— Mon chéri, mon chéri, me dit-elle, est-ce que les gens ne continuent pas d'aimer Dieu toute leur vie sans le voir?

— Ce n'est pas le même amour que le nôtre.

— Je pense parfois qu'il n'en existe qu'un, répondit-elle.

J'aurais dû m'apercevoir alors qu'elle subissait déjà une influence étrangère; elle n'aurait jamais parlé ainsi au début de nos relations. Nous avions décidé joyeusement d'exclure Dieu de notre univers. Tandis que je la guidais avec précaution à travers le vestibule démoli, l'éclairant de ma lampe de poche, elle ajouta:

— Tout doit se passer très bien. Si notre amour est assez grand.
— Je ne saurais en trouver davantage, dis-je. Tu l'as tout entier.
— Qui sait, dit-elle, qui sait?
Les vitres des fenêtres brisées craquaient sous nos pieds. Seul le vieux vitrail victorien au-dessus de la porte restait solide. Le verre écrasé devenait de la poudre blanche, comme la glace que les enfants piétinent dans les champs gelés ou sur le bord des routes.
— N'ayez pas peur, répéta-t-elle.
Je savais qu'elle ne faisait pas allusion à ces étranges armes nouvelles qui depuis cinq heures n'avaient cessé d'arriver du sud en bourdonnant comme des abeilles.
C'était la première nuit, en juin 1944, de ce que nous appelâmes, par la suite, les V 1. Nous avions perdu l'habitude des raids aériens. A part une courte période, en février, il ne s'était rien passé depuis que le blitz avait peu à peu cédé, à la suite des grands raids finaux de 1941. Quand les sirènes se firent entendre et que les premiers robots arrivèrent, nous pensâmes que quelques avions avaient percé notre ligne de défense nocturne. Nous en voulions au signal de fin d'alerte de n'avoir pas encore sonné au bout d'une heure. Je me souviens que je dis à Sarah:
— Ils sont devenus négligents. Manque de besogne.
Au même moment, de mon lit où nous étions couchés, nous aperçûmes notre premier robot. Il passa très bas au-dessus des Allées, nous le prîmes pour un avion en flammes et son étrange bourdonnement grave pour le bruit d'un moteur emballé. Un second robot arriva, puis

un troisième. Nous changeâmes alors d'avis au sujet de notre défense aérienne.

— Les nôtres les descendent comme des pigeons, dis-je. Ces types sont insensés de continuer.

Mais ils continuèrent, d'heure en heure, même après les premières lueurs de l'aube, si régulièrement que, même nous, nous dûmes admettre que ces engins étaient quelque chose de nouveau.

Le raid avait commencé au moment où nous nous mettions au lit. Il ne nous gênait pas. La mort ne comptait pas à cette époque, et durant les premiers jours il m'arrivait même de l'appeler : cet anéantissement total qui mettrait fin pour toujours à la nécessité de se lever le matin, de mettre des vêtements, de surveiller la petite torche électrique de Sarah traversant les Allées dans toute leur largeur, semblable au feu arrière d'une auto qui s'éloigne lentement. Je me suis parfois demandé si l'éternité n'existait pas après tout sous la forme d'un prolongement infini du moment de la mort; or, c'est cet instant précis que j'aurais choisi, que je choisirais encore si Sarah était en vie, cet instant de parfaite confiance et de plaisir parfait, cet instant où il était impossible de se quereller parce qu'il était impossible de penser. Je me suis plaint de la prudence de Sarah; j'ai comparé avec amertume notre usage du mot « oignons » avec le style du billet déchiré que Mr Parkis avait ramassé, mais j'aurais été moins meurtri en lisant ce bout de lettre adressé à mon successeur inconnu, si je n'avais su de quels abandons Sarah était capable. Non, les V 1 ne nous émurent pas, jusqu'à ce que nous nous fûmes aimés. J'avais atteint l'épuisement complet et je reposais sur le dos, la tête sur son ventre, conservant dans la bouche le goût d'elle, subtil et fluide comme celui de l'eau, quand un des robots vint s'écraser sur les Allées: nous entendîmes les vitres se briser un peu plus loin, sur le trottoir sud.

— Je suppose que nous devrions descendre au sous-sol, dis-je.

— La logeuse y sera. Je ne veux pas me trouver en face d'elle.

Après la possession vient la tendresse avec le sentiment de la responsabilité, et l'on oublie qu'un amant n'est responsable de rien.

— Elle est peut-être partie, dis-je. Je vais descendre m'en assurer.

— Ne partez pas, je vous en prie, ne partez pas.

— Je reviens dans quelques minutes.

C'est une phrase que nous continuions à employer, bien que nous sachions qu'à cette époque « quelques minutes » pouvaient fort bien durer toute l'éternité. J'endossai ma robe de chambre et trouvai ma lampe électrique. J'en avais à peine besoin: le ciel était devenu gris et dans la chambre sans lumière je pouvais distinguer le profil de Sarah.

— Revenez vite, dit-elle.

Comme je descendais l'escalier en courant, j'entendis arriver le robot suivant, puis ce fut le brusque silence d'attente qui succédait à l'arrêt de la machine. Nous n'avions pas encore eu le temps d'apprendre que c'était le moment dangereux, qu'il fallait s'écarter de tout ce qui était verre et s'aplatir. Je n'entendis pas l'explosion et m'éveillai cinq secondes ou cinq minutes plus tard dans un monde transformé. Je croyais me tenir encore sur mes pieds et l'obscurité me semblait surprenante; j'avais l'impression que quelqu'un m'enfonçait son poing froid dans la joue; ma bouche était pleine de sang. Pendant quelques minutes, mon esprit, vidé de tout, ne connut qu'une sensation d'extrême fatigue, comme si j'avais fait un long voyage. Je ne me souvenais plus du tout de Sarah et j'étais délivré de l'angoisse, de la jalousie, de l'insécurité, de la haine: mon cerveau était une feuille blanche sur laquelle quelqu'un avait été sur le point d'écrire un message de bonheur. J'avais la certitude que lorsque ma mémoire reviendrait, le message continuerait de s'inscrire et que je serais heureux.

Mais quand la mémoire me revint, il n'en fut pas ainsi. La première chose que je compris fut que j'étais étendu sur le dos et que l'objet qui oscillait au-dessus de moi et me bouchait le jour était la porte d'entrée; d'autres débris l'avaient retenue dans sa chute et la maintenaient à quelques centimètres de mon corps; chose étrange, je m'aperçus ensuite que j'étais meurtri des épaules aux pieds comme si son ombre m'avait écrasé. Le poing qui s'enfonçait dans ma joue était le bouton de porcelaine de l'entrée qui m'avait démoli deux dents. Après cela, me revint naturellement le souvenir de Sarah, d'Henry, et ma terreur de voir s'achever notre amour.

Je me dégageai de dessous la porte et secouai la poussière de mes vêtements. J'appelai à la porte du sous-sol; il n'y avait personne. Par l'ouverture de la porte brisée, je voyais la lumière blafarde de l'aube et j'avais le sentiment d'un grand vide dont le point de départ était le vestibule en ruine; je me rendis compte qu'un arbre qui interceptait la lumière avait tout simplement cessé d'exister: il n'en restait même pas un tronc abattu. Au loin, des chefs d'îlots lançaient des coups de sifflet. Je remontai l'escalier. Du rez-de-chaussée au premier, la rampe avait disparu et l'on enfonçait jusqu'aux chevilles dans les plâtras, mais la maison — d'après la façon de juger à cette époque — n'avait pas terriblement souffert. C'étaient nos voisins qui avaient subi le choc violent. La porte de ma chambre était ouverte et du couloir qui y conduisait je voyais Sarah; elle était sortie du lit et s'était accroupie sur le plancher: prise de peur, imaginai-je. Elle avait l'air ridiculement jeune, comme un enfant nu.

— Celui-ci n'est pas tombé loin, dis-je.

Elle se retourna vivement et me regarda, épouvantée. Je n'avais pas pensé que ma robe de chambre était déchirée et couverte de plâtre, que mes cheveux en étaient blanchis et que j'avais du sang sur la bouche et les joues.

— Oh! mon Dieu, dit-elle, vous êtes vivant!

— On dirait que vous en êtes déçue!

Elle se remit debout et chercha ses vêtements.

— Il n'y a pas de raison pour que vous partiez tout de suite, lui dis-je, la fin d'alerte va sûrement sonner bientôt.

— Il faut que je parte.

— Deux bombes ne tombent jamais au même endroit, dis-je, automatiquement, car c'était un dicton traditionnel, que la réalité avait souvent démenti.

— Vous êtes blessé.
— J'ai perdu deux dents, c'est tout.
— Venez ici, que je vous lave la figure.

Elle avait fini de s'habiller avant que j'aie pu faire une nouvelle protestation. Je n'ai jamais connu de femme capable de s'habiller avec autant de rapidité. Elle me baigna le visage lentement et soigneusement.

— Que faisiez-vous sur le plancher? demandai-je.
— Je priais.
— Qui?
— N'importe qui. Tout ce qui peut exister.
— Il eût été plus utile de descendre.

Son air sérieux m'effrayait, je voulais la taquiner jusqu'à ce qu'elle le perdît.

— Je suis descendue.
— Je ne vous ai pas entendue.
— Il n'y avait personne. Je ne vous voyais pas, et puis j'ai aperçu votre bras étendu qui sortait de dessous la porte. J'ai cru que vous étiez mort.
— Vous auriez pu vous en assurer.
— Je l'ai fait, mais je n'ai pas pu soulever la porte.
— Il y avait assez de place pour me bouger. La porte ne me retenait pas. Je me serais éveillé.
— Je ne comprends pas. J'étais absolument sûre que vous étiez mort.
— Alors, il n'y avait guère de raison pour prier... si ce n'est pour demander un miracle, dis-je pour la taquiner.
— Quand on est assez désespéré, dit-elle, on peut prier pour demander un miracle. Les miracles se produisent, n'est-il pas vrai, pour les pauvres, et j'étais pauvre.

— Restez jusqu'à la fin d'alerte.
Elle secoua la tête et sortit de la pièce tout droit. Je la suivis, descendis derrière elle l'escalier et me mis malgré moi à la harceler:
— Vous verrai-je cet après-midi?
— Non, je ne peux pas.
— A quelle heure, demain?
— Henry rentre.
Henry, Henry, Henry. Ce nom ne cessait de retentir entre nous, gâchant tous nos moments de bonheur, de gaieté ou d'exaltation, en nous rappelant que l'amour meurt et que l'affection et l'habitude finissent par triompher.
— Vous n'avez pas besoin de craindre, dit-elle, l'amour n'a pas de fin...
Près de deux années s'écoulèrent, puis ce fut cette rencontre dans le vestibule et ce: « Vous? »

CHAPITRE VI

Après cela, pendant des jours et des jours naturellement je conservai de l'espoir. Ensuite je pensai que si le téléphone ne répondait pas, ce n'était pas une coïncidence et lorsque au bout d'une semaine je rencontrai la bonne des Miles et lui demandai de leurs nouvelles, j'appris que Sarah était à la campagne et je me persuadai qu'en temps de guerre les lettres se perdent. Chaque matin, j'entendais claquer le couvercle de la boîte aux lettres et je me forçais à rester dans ma chambre jusqu'à ce que ma logeuse me montât mon courrier. Je ne regardais pas toutes les lettres, il fallait retarder la déception et entretenir l'espoir le plus longtemps possible; je lisais mes lettres l'une après l'autre, chacune à son tour, et j'étais certain qu'il n'y avait rien de Sarah seulement en arrivant au bas de la pile. Ma vie languissait ensuite jusqu'à la distribution de quatre heures, et après cela il fallait me préparer à passer une nouvelle nuit.

Pendant près d'une semaine, je ne lui écrivis pas; j'étais retenu par mon orgueil, puis un matin, cessant complètement de résister, j'écrivis en termes d'angoisse et d'amertume, et sur l'enveloppe j'ajoutai *Urgent* et

Faire suivre. Je ne reçus pas de réponse et abandonnai tout espoir. Je me rappelais nettement ses dernières paroles: « Est-ce que les gens ne continuent pas d'aimer Dieu toute leur vie, sans le voir? » Je pensai avec haine: « Il faut toujours qu'elle se donne le beau rôle, à ses propres yeux; elle confond la religion et la trahison, parce que cela lui paraît plus noble. Elle ne veut pas admettre que désormais elle préfère coucher avec X. »

Ce fut la plus mauvaise période de toutes; c'est mon métier d'imaginer, de penser en images; cinquante fois par jour, et dès que je m'éveillais la nuit, le rideau se levait et la pièce commençait; toujours la même pièce: Sarah en train de faire l'amour, Sarah et X. dans les attitudes mêmes que nous avions prises, elle et moi. Sarah l'embrassant à sa façon particulière, son corps arqué à l'instant de la jouissance, Sarah poussant ce cri qu'on eût dit de douleur. Sarah toute abandonnée. Je prenais des cachets le soir afin de m'endormir très vite, mais je ne pus trouver de cachets capables de me faire dormir jusqu'à l'aube. Seuls les robots parvenaient à me distraire pendant le jour; entre le silence et l'explosion, il y avait quelques secondes où mon esprit était débarrassé de Sarah. Trois semaines s'écoulèrent et les images demeuraient aussi fréquentes et aussi nettes qu'au début; il ne semblait pas y avoir de raison qu'elles prissent jamais fin, et je commençai à songer très sérieusement au suicide. Je me fixai même une date et j'économisai mes cachets de somnifère avec un sentiment qui ressemblait à de l'espoir. « Après tout, me dis-je, pourquoi continuerais-je à vivre ainsi indéfiniment ? » La date arriva, la pièce continua et je ne me suicidai pas. Ce ne fut pas par lâcheté, c'est un souvenir qui m'arrêta : je me rappelai l'air déçu du visage de Sarah quand j'étais rentré dans la chambre après la chute du V 1. N'avait-elle pas, au fond du cœur, souhaité ma mort, afin que sa nouvelle liaison avec X lui pesât moins sur la conscience (car elle avait une sorte de conscience élémentaire) ? Si je me tuais maintenant, elle n'aurait plus de souci à se faire à mon sujet, tandis qu'après une union de quatre années elle devait éprouver des moments de malaise, même auprès de X. Je n'allais pas lui donner cette satisfaction. Si j'en avais connu le moyen j'aurais porté ses soucis à leur comble et mon impuissance m'exaspérait. Comme je la détestais !

Mais la haine, comme l'amour, a naturellement une fin. Au bout de six mois, je m'aperçus que j'étais resté toute une journée sans penser à Sarah et que j'avais été heureux. Ce ne pouvait pas être tout à fait la fin de la haine, car j'entrai aussitôt chez un papetier, pour acheter une carte postale illustrée, et je lui écrivis un message plein de jubilation qui pourrait — qui sait ? — lui causer un chagrin passager, mais à peine eus-je mis l'adresse que le désir de lui faire mal m'avait quitté et que je jetai la carte dans le ruisseau. L'étrange est que ma haine fut ensuite rallumée par cette rencontre avec Henry. Je me rappelle avoir pensé, en ouvrant un nouveau rapport de Mr Parkis : si seulement l'amour pouvait se rallumer de la même manière !

Mr Parkis avait bien travaillé : la poudre avait agi

et l'appartement était repéré. C'était celui de l'étage supérieur du N° 16, Cedar Road. Les locataires en étaient une certaine miss Smythe et son frère, Richard. Je me demandai si miss Smythe était une sœur aussi complaisante qu'Henry l'était dans son rôle de mari. Tout mon snobisme latent fut éveillé par cet *y* et cet *e* final. Je pensais: « Est-elle tombée si bas: un Smythe, de Cedar Road? Représente-t-il la fin d'une longue chaîne d'amants éparpillés sur deux années ou bien, quand je le verrais (et j'étais décidé à le rencontrer, sous une forme moins floue que dans les rapports de Mr Parkis) aurais-je devant moi l'homme pour qui elle m'avait quitté en juin 1944? »

— Dois-je sonner à la porte, entrer directement et me présenter à lui comme un mari outragé? demandai-je à Mr Parkis (qui m'avait rejoint sur rendez-vous dans un restaurant ABC que lui-même avait proposé: il était accompagné de son petit garçon, aussi ne pouvais-je l'emmener dans un bar).

— Je ne suis pas de cet avis, monsieur, dit Mr Parkis, ajoutant une troisième cuillerée de sucre dans son thé.

Son fils était à une autre table, hors de portée de nos voix, devant un verre d'orangeade et une brioche. Il examinait toutes les personnes qui entraient, en secouant leurs chapeaux et leurs manteaux pour en faire voler la neige fine et presque fondue; il les surveillait de ses petits yeux bruns vifs et ronds, comme s'il s'apprêtait à faire un rapport sur eux; peut-être en ferait-il un, et était-ce une forme du dressage auquel se livrait Parkis.

— Voyez-vous, monsieur, disait Parkis, à moins que vous ne soyez prêt à servir de témoin, cela ne ferait que compliquer les choses devant les juges.
— L'affaire n'ira jamais devant les juges.
— Règlement à l'amiable?
— Manque d'intérêt, répondis-je. On ne peut vraiment pas faire d'histoires pour un homme qui s'appelle Smythe. J'aimerais le voir, c'est tout.
— Le plus sûr, monsieur, c'est l'employé du gaz qui relève les compteurs.
— Je ne me vois pas avec cette casquette.
— Je partage votre sentiment, monsieur. Le déguisement est une chose que j'essaie toujours d'éviter. Et je voudrais que mon petit garçon l'évite aussi quand son heure viendra.

Ses yeux tristes suivaient tous les mouvements de l'enfant.

— Il voulait une glace, monsieur, mais j'ai dit non, non, pas par le temps qu'il fait.

Et il frissonna légèrement comme si la seule pensée d'une glace l'avait refroidi. Pendant un moment, je n'eus aucune idée de ce qu'il voulait dire, lorsqu'il reprit:

— Toutes les professions ont leur dignité, monsieur.
— Voulez-vous me prêter votre fils? demandai-je.
— Si vous m'assurez qu'il ne se passera rien de déplaisant, monsieur, dit-il, sans enthousiasme.
— Je n'ai pas l'intention d'y aller pendant que Mrs Miles s'y trouve. Cette partie de l'anecdote pourra être mise entre toutes les mains.
— Mais à quoi bon mon petit garçon?

— Je dirai qu'il est souffrant, que nous nous sommes trompés d'adresse. Ils ne refuseront pas de nous laisser asseoir un moment.
— Mon fils s'en tirera très bien, dit Mr Parkis avec fierté. Et personne ne pourrait résister à Lance.
— Ah! il s'appelle Lance!
— Diminutif de Lancelot, monsieur. Dans la Table ronde.
— Vous me surprenez. L'épisode est plutôt déplaisant, vous ne trouvez pas?
— Il a découvert le saint Graal, dit Mr Parkis.
— Non, ça c'est Galahad. Lancelot a été surpris couché avec Guenièvre.

D'où nous vient ce besoin de tourmenter les innocents? Mr Parkis regarda son petit garçon comme s'il se sentait coupable d'une trahison envers lui et dit tristement:
— Je l'ignorais.

CHAPITRE VII

Le lendemain — pour braver son père — j'offris une glace au petit garçon, dans la High Road, avant d'aller au 16, Cedar Road. Mr Parkis m'avait appris qu'Henry Miles donnait un cocktail, et que la voie était libre. Il me confia le petit, après avoir tiraillé ses habits pour les mettre en place; l'enfant portait son plus beau costume en l'honneur de sa première entrée en scène avec un client, tandis que j'avais mis mes plus vieilles hardes. L'ensemble faisait penser au petit lord Fauntleroy accompagné d'un valet. Un peu de glace à la fraise tomba de sa cuiller et fit une tache sur son costume. Je gardai le silence jusqu'à ce qu'il eût avalé la dernière goutte.
— Encore une? demandai-je.
Il inclina la tête.
— Toujours à la fraise?
— Vanille, dit-il (et, un long moment après), s'il vous plaît.
Il mangea la seconde glace avec un air de grande résolution et en léchant la cuiller avec soin comme pour effacer des empreintes digitales. Nous traversâmes ensuite les Allées dans la direction de Cedar

Road, en nous donnant la main comme un père et son fils. Sarah et moi, nous n'avons d'enfants ni l'un ni l'autre, pensai-je. N'y aurait-il pas plus de bon sens à être mariés, à avoir des enfants, à mener ensemble une vie paisible, dans un accord doux et monotone, plutôt que livrés à ce sournois manège de désir physique et de jalousie, et aux procès-verbaux de Mr Parkis ?

Au 16, Cedar Road, je poussai la sonnette de l'étage supérieur.

— Rappelle-toi bien, dis-je à l'enfant. Tu te sens malade.

— S'ils m'offrent une glace... commença-t-il.

Parkis l'avait dressé à être prêt à tout.

— Ils ne t'en offriront pas.

Je supposai que la femme entre deux âges qui m'ouvrit la porte, et qui avait de ces cheveux gris fatigués qu'on voit dans les ventes de charité, devait être miss Smythe.

— Est-ce ici qu'habite Mr Wilson ? demandai-je.

— Non. Je regrette, mais...

— Vous ne savez pas s'il occupe l'appartement du dessous ?

— Il n'y a personne dans cette maison du nom de Wilson.

— Ah ! mon Dieu, dis-je. J'ai fait faire à mon petit garçon ce long trajet et maintenant qu'il a un malaise...

Je n'osais pas regarder le petit, mais à la façon dont miss Smythe le dévisageait, j'étais sûr que sans rien dire il jouait bien son rôle. Mr Savage eût été

fier de reconnaître en lui un membre de son équipe.
— Je vous en prie, entrez et faites-le asseoir, dit miss Smythe.
— Vous êtes très aimable.
Je me demandai combien de fois Sarah avait franchi ce seuil pour pénétrer dans le petit vestibule encombré. J'étais donc chez X. Le chapeau de feutre marron souple accroché à la patère lui appartenait probablement. Les doigts de mon successeur, ces doigts qui touchaient Sarah, tournaient chaque jour le bouton de la porte qui s'ouvrit sur la flamme jaune d'un poêle à gaz, sur les lampes aux abat-jour roses allumées, car l'après-midi de neige était sombre, et sur un océan de housses en cretonne à fleurs.
— Puis-je donner un verre d'eau à votre petit garçon?
— Vous êtes très aimable.
Je me rappelai avoir déjà prononcé ces mots.
— Ou un jus d'orange?
— Il ne faut pas vous déranger.
— Un jus d'orange, déclara le petit garçon, d'un air décidé.
Puis il fit comme la première fois une longue pause et ajouta: « S'il vous plaît », au moment où miss Smythe sortait de la pièce.
Maintenant que nous étions seuls, je le regardai: recroquevillé sur la cretonne, il avait l'air vraiment malade. S'il ne m'avait pas fait un clin d'œil, je me serais demandé si, par hasard... Miss Smythe revint portant le jus d'orange et je dis:
— Dis merci, Arthur.

— Il s'appelle Arthur?
— Arthur-James.
— C'est un prénom à l'ancienne mode.
— Nous sommes une famille à l'ancienne mode. Sa mère aimait beaucoup Tennyson.
— Elle est...
— Oui, répondis-je.
Elle regarda l'enfant avec commisération.
— C'est une consolation pour vous de l'avoir.
— Et un sujet de grandes inquiétudes, ajoutai-je.
Je commençai à avoir honte: elle était si confiante; d'ailleurs, à quoi me servait d'être là? Je n'étais pas plus près de rencontrer X, et serais-je plus heureux lorsque j'aurais donné un visage à l'homme du lit? Je changeai de tactique.
— J'aurais dû me présenter, dis-je. Mon nom est Bridges.
— Le mien est Smythe.
— J'ai l'impression nette que je vous ai déjà rencontrée.
— Je ne crois pas. J'ai la mémoire des visages très développée.
— Peut-être vous ai-je aperçue sur les Allées.
— J'y vais quelquefois avec mon frère.
— Ce n'est pas par hasard John Smythe?
— Non, dit-elle, il s'appelle Richard. Comment le petit garçon se sent-il?
— Plus mal, répondit le fils de Parkis.
— Peut-être que nous devrions prendre sa température, qu'en pensez-vous?
— Je voudrais un autre jus d'orange.

— Ça ne peut pas lui faire de mal, n'est-ce pas ? demanda miss Smythe. Pauvre petit !

— Nous vous avons déjà assez encombrée.

— Mon frère ne me pardonnerait pas si je ne vous demandais pas de rester. Il aime beaucoup les enfants.

— Est-il sorti ?

— Je l'attends d'un moment à l'autre.

— Il va rentrer de son travail ?

— Oh ! son jour de travail est surtout le dimanche.

— Clergyman ? demandai-je avec une méchanceté cachée.

Et je reçus cette étonnante réponse :

— Pas exactement.

Un air d'inquiétude tomba entre nous comme un rideau, derrière lequel miss Smythe se retira en compagnie de ses soucis personnels. Elle se leva, et au même instant la porte d'entrée s'ouvrit pour livrer passage à X. Dans la pénombre du crépuscule, il me fit l'impression d'avoir un beau visage d'acteur, un visage qui étudie son reflet trop souvent dans une glace, avec une nuance de vulgarité, et je pensai avec tristesse, sans la moindre satisfaction : « J'aurais aimé qu'elle eût meilleur goût. » Puis il pénétra dans la lumière des lampes : les grosses taches livides qui couvraient sa joue gauche devinrent presque un signe de distinction ; je l'avais calomnié, il ne devait trouver aucune satisfaction à se regarder dans un miroir.

— Mon frère Richard, dit miss Smythe, Mr Bridges.

Le petit garçon de Mr Bridges ne se sent pas bien. Je les ai priés d'entrer.

Il me serra la main sans quitter des yeux le petit garçon. Je notai qu'il avait les mains sèches et brûlantes.

— J'ai déjà vu votre petit garçon, dit-il.

— Sur les Allées ?

— Peut-être.

Il était trop puissant pour cette pièce : il n'allait pas avec les housses de cretonne. Sa sœur restait-elle assise ici pendant qu'eux, dans la chambre voisine... ou l'envoyaient-ils en courses, pour pouvoir faire l'amour ?

Bon, j'avais vu l'homme ; je n'avais plus de raison pour rester, sauf si je voulais lui poser toutes les questions qu'avait fait naître sa vue même : où s'étaient-ils rencontrés ? Avait-elle fait le premier pas ? Que pouvait-elle voir en lui ? Depuis combien de temps, combien de fois par semaine étaient-ils amants ? Il y avait les mots qu'elle avait écrits et que je savais par cœur : « Je n'ai pas besoin de vous écrire ou de vous parler... Je sais que je commence seulement à aimer, mais j'ai déjà envie de tout abandonner, êtres et choses, pour vous », et je fixai des yeux les taches de sa joue en pensant : « Il n'est de sécurité nulle part, un bossu, un infirme, ils sont tous capables de déclencher une passion amoureuse. »

Sa voix interrompit brusquement le cours de mes pensées :

— Quel était votre but véritable en venant ici ?

— Je l'ai dit à miss Smythe... Un homme du nom de Wilson.

— Je ne me rappelle pas votre figure, mais je me rappelle celle de votre fils.

Il fit un geste timide d'homme frustré, comme s'il voulait toucher la main du petit garçon : dans ses yeux brillait une sorte de tendresse abstraite.

— N'ayez pas peur de moi, dit-il, je suis habitué à ce qu'on vienne me trouver. Je vous assure que j'aspire uniquement à me rendre utile.

— Les gens sont souvent si timides, expliqua miss Smythe.

Je n'arrivais absolument pas à comprendre ce que tout cela signifiait.

— Je cherchais un homme du nom de Wilson...

— Cet homme n'existe pas et vous savez que je le sais.

— Si vous vouliez me prêter un annuaire des téléphones je retrouverais son adresse exacte...

— Reprenez votre fauteuil, dit-il, regardant toujours l'enfant d'un air rêveur et sombre.

— Il faut que je parte. Arthur va mieux et Wilson...

Ses ambiguïtés me mettaient mal à l'aise.

— Vous pouvez partir si vous le voulez, bien entendu, mais consentiriez-vous à me laisser l'enfant ? Rien qu'une demi-heure. Je voudrais lui parler.

L'idée me vint qu'il avait reconnu l'assistant de Parkis et qu'il allait lui faire subir un interrogatoire.

— Toutes les questions que vous lui poseriez, vous pouvez me les poser à moi.

Chaque fois qu'il tournait vers moi sa joue intacte ma fureur grandissait; elle retombait chaque fois que je voyais cette flétrissure et il me devenait impossible de croire... pas plus que je ne pouvais croire à la vraisemblance de gestes voluptueux parmi ces cretonnes à fleurs, pendant que miss Smythe préparait le thé. Mais le désespoir peut toujours provoquer une réponse et le désespoir me demandait alors : « Préfères-tu vraiment qu'il s'agisse d'amour plutôt que de sensualité ? »

Mais lui, les maîtres d'école et les prêtres n'ont fait que commencer à le corrompre par leurs mensonges.
— Je me demande ce que diable vous racontez là! dis-je.

Et je me hâtai d'ajouter:
— Je vous demande pardon, à l'adresse de miss Smythe.
— Voilà, voilà vous voyez, dit-il. Le diable! et si je vous mettais en colère, vous diriez probablement: nom de Dieu.

J'eus l'impression de l'avoir scandalisé; peut-être était-il un clergyman non-conformiste. Miss Smythe m'avait dit qu'il travaillait le dimanche, mais comme c'était étrange et horrible qu'un tel homme fût l'amant de Sarah. Elle y perdait brusquement tout prestige; son aventure amoureuse tournait en farce; elle-même pourrait servir d'héroïne à l'une de ces anecdotes comiques qu'on raconte à la fin d'un dîner. Pendant un court moment, je fus délivré d'elle.
— J'ai mal au cœur, dit le petit garçon. Est-ce que je peux avoir de l'orangeade?
— Mon petit, dit miss Smythe, je crois qu'il vaut mieux ne plus rien boire.

— Il faut réellement que je l'emmène. Vous avez été très bonne.

J'essayai de garder les taches dans mon rayon visuel.

— Si je vous ai choqué, ajoutai-je, j'en suis tout à fait désolé et ce fut sans intention, mais il se trouve que je ne partage pas vos croyances religieuses.

Il me regarda avec étonnement :

— Mais je n'en ai pas. Je ne crois à rien.

— Je croyais que vous protestiez...

— Je hais les pièges qui subsistent encore. Pardonnez-moi, Mr Bridges, je vais trop loin, je le sais, mais je crains parfois que la mémoire des gens soit réveillée, fût-ce par des mots de convention : Adieu, par exemple. Je voudrais pouvoir croire que mon petit-fils ne saura même pas qu'un vocable tel que « Dieu » avait pour nous plus de sens qu'un mot de swahili.

— Vous avez un petit-fils ?

— Je n'ai pas d'enfants, dit-il d'un air sombre. Je vous envie votre petit garçon. C'est un grand devoir et une grande responsabilité.

— Que vouliez-vous lui demander ?

— Je voulais qu'il se sentît ici comme chez lui et qu'il eût le désir d'y revenir. Il y a tant de choses dont on a envie de parler à un enfant. Les origines du monde... j'aurais voulu lui parler de la mort. J'aurais voulu le débarrasser de tous les mensonges qu'on injecte à l'école.

— C'était beaucoup en une demi-heure.

— On peut répandre une semence.

— Ceci sort tout droit des Évangiles, dis-je méchamment.
— Oh! moi aussi, j'ai été corrompu. Vous n'avez pas besoin de me le faire remarquer.
— Est-ce que les gens viennent vraiment vous trouver, secrètement?
— Vous seriez surpris de leur nombre, dit miss Smythe, tant d'êtres aspirent à un message d'espoir.
— D'espoir?
— Oui, d'espoir, dit Smythe. Ne pouvez-vous voir comme il régnerait, si tous les humains du monde savaient que rien n'existe hormis ce que nous possédons ici-bas? Aucune compensation future, ni récompense ni châtiment. (Son visage prenait une noblesse démente, quand une joue était cachée.) Alors, nous commencerions à rendre ce monde semblable au ciel.
— Il y aurait avant cela une quantité effrayante de choses à expliquer, dis-je.
— Puis-je vous montrer ma bibliothèque?
— C'est la meilleure bibliothèque rationaliste du sud de Londres, expliqua miss Smythe.
— Je n'ai pas besoin d'être converti, Mr Smythe. Je ne crois absolument à rien. Sauf par moments.
— Ce sont ces « moments » qu'il nous faut traiter.
— La chose étrange, c'est que ce sont précisément mes moments d'espoir.
— L'orgueil peut se déguiser en espoir. L'égoïsme aussi.
— Je ne crois pas qu'ils aient le moindre rapport. Cela se produit brusquement, sans raison, une odeur...

— Ah! dit Smythe, la structure d'une fleur, la forme devenant argument, toute cette histoire de la montre qui ne peut exister sans horloger. Tout cela est périmé : voilà vingt-cinq ans que Schwenigen y a répondu. Je voudrais vous montrer...

— Non, pas aujourd'hui. Il faut vraiment que je ramène le petit à la maison.

Il fit de nouveau son geste de tendresse frustrée, celui d'un amant qui vient de se voir repoussé. Je me demandai soudain de combien de lits de mort il avait été exclu. Je m'aperçus que j'aurais voulu, moi aussi, lui donner un message d'espoir, mais à ce moment la joue disparut et je ne vis que l'arrogant visage d'acteur. Je le préférais pitoyable, inefficace et suranné ? Ayer, Russell... ils étaient à la mode, mais je doutais qu'il se trouvât des positivistes logiques dans sa bibliothèque. Il n'avait que ceux qui partent en croisade, non ceux qui se sont libérés.

A la porte (je remarquai qu'il n'employait pas ce terme dangereux : adieu) j'envoyai, destiné à sa belle joue, un coup direct :

— Il faudrait que vous fassiez connaissance d'une de mes amies : Mrs Miles. Elle s'intéresse...

Je me tus : le coup avait porté. Les marques semblèrent rougir et s'étaler sur tout son visage, et j'entendis miss Smythe lui dire : « Oh! mon pauvre Richard... » tandis qu'il s'éloignait brusquement. Il n'était pas douteux que je venais de lui causer une souffrance, mais cette souffrance était aussi la mienne. Comme je regrettais de ne pas avoir manqué mon coup!

Dehors, le petit garçon de Parkis dut s'arrêter pour

vomir dans le ruisseau. Je le laissai se soulager et en attendant qu'il eût fini, je pensais: « Smythe l'a-t-il perdue, lui aussi? Ceci n'aura-t-il pas de fin? Dois-je maintenant me mettre à la recherche de Y? »

CHAPITRE VIII

— Je n'ai pas rencontré la moindre difficulté, monsieur, me dit Parkis. Il y avait une telle cohue; Mrs Miles a cru que j'étais un collègue de son mari au ministère et Mr Miles a cru que j'étais un ami de sa femme.

— Etait-il réussi, ce cocktail? demandai-je.

Je me rappelai notre première rencontre, le jour où j'avais aperçu Sarah avec l'inconnu.

— Un grand succès, m'a-t-il semblé, monsieur, mais à mon avis Mrs Miles manquait d'entrain. Elle tousse, c'est une toux inquiétante qu'elle a.

Je l'écoutais avec plaisir; peut-être n'y avait-il eu à ce cocktail ni baisers échangés dans les coins, ni mains qui se rencontrent. Il posa sur mon bureau un paquet entouré de papier d'emballage, et me dit d'un air fier :

— Je savais par la bonne où se trouvait la chambre de Madame. Si l'on m'avait surpris, j'aurais dit que je cherchais les cabinets, mais personne n'est monté. Il était là, posé sur son bureau, elle avait dû y écrire le jour même. Bien sûr, elle s'y exprime peut-être avec circonspection, mais d'après mon expérience, une personne qui tient un journal s'y trahit toujours. Il y a des gens qui inventent leur petit code, qu'il est d'ailleurs très facile de déchiffrer. Ou bien ils omettent de noter certaines choses, mais en un rien de temps vous devinez ce qu'ils ont omis.

J'avais débarrassé le cahier de son emballage et je l'avais ouvert pendant ce discours de Mr Parkis.

— C'est tellement humain, monsieur. Si vous tenez votre journal, c'est pour vous rappeler certains faits. Sinon, pourquoi le tenir?

— Avez-vous regardé celui-ci?

— Rien qu'un coup d'œil afin de vérifier la nature de l'objet, monsieur; et cela m'a suffi pour juger que la dame n'appartenait pas au type précautionneux.

— Ce n'est pas le journal de cette année, dis-je. C'est celui d'il y a deux ans.

Il resta penaud quelques minutes.

— Il me sera utile, dis-je.

— Il devrait pouvoir remplir le même usage, monsieur, si la personne n'a pas réparé ses fautes depuis.

Le journal était écrit dans un gros livre de comptes et les lettres nettes qui m'étaient si familières y étaient traversées de lignes rouges et bleues. Les entrées n'y étaient pas quotidiennes et je pus rassurer Parkis:

— Il couvre plusieurs années.

— Je présume que quelque chose l'a poussée à le sortir pour le relire.

« Est-il possible, pensai-je, qu'un souvenir de moi, de notre liaison, ait jailli dans son esprit ce même jour, que quelque chose soit venu troubler sa paix? »

— Je suis content d'avoir ceci, dis-je à Parkis, je

suis très content. En fait, je crois que nous pouvons dès maintenant régler nos comptes.
— J'espère, monsieur, vous avoir donné satisfaction.
— Tout à fait.
— Et que vous voudrez bien l'écrire à Mr Savage, monsieur. Il reçoit les plaintes des clients, mais les marques de contentement, ils ne les écrivent jamais. Plus un client est satisfait, plus il a le désir d'oublier et de nous chasser définitivement de son esprit. On ne peut guère leur en vouloir.
— J'écrirai.
— Et je vous remercie, monsieur, pour vos bontés envers mon petit garçon. Il a été un peu malade, mais je sais ce qu'il en est. C'est difficile de se montrer ferme quand Lance vous demande des glaces: il vous les soutire, presque sans avoir besoin de dire un mot.

J'étais impatient de me mettre à lire, mais Parkis n'en finissait pas. Sans doute craignait-il d'être oublié trop vite et voulait-il imprimer plus fortement dans ma mémoire ces yeux de chien couchant, cette moustache au poil rare.
— Nos rapports m'ont été très agréables, monsieur — si l'on peut employer le mot agréable dans des circonstances aussi tristes. Les gens pour qui nous travaillons ne sont pas toujours de vrais « messieurs » même lorsqu'ils en portent le titre. J'ai vu un pair du royaume, monsieur, se mettre dans une rage abominable quand je lui ai présenté mon rapport, comme si j'avais été la personne coupable. C'est très décourageant, monsieur. Mieux vous réussissez, plus ils sont heureux de voir vos talons.

J'avais conscience de désirer vivement voir les talons de Parkis, aussi ses paroles éveillèrent-elles en moi un sentiment de culpabilité. Je ne pouvais le presser de partir.

— J'ai pensé, monsieur, que j'aimerais vous donner un petit souvenir, mais certainement vous n'allez pas vouloir l'accepter.

Comme c'est étrange de se sentir l'objet d'une sympathie. Cela fait naître aussitôt un certain loyalisme. Je mentis à Parkis.

— J'ai toujours beaucoup apprécié nos conversations, lui dis-je.

— Qui commencèrent, monsieur, sous de bien mauvais auspices : cette erreur stupide...

— L'avez-vous dit à votre fils ?

— Oui, monsieur, mais seulement quelques jours plus tard, après le succès de la corbeille à papier. Pour atténuer le coup.

Mon regard se posa sur le cahier et je lus : « Suis si heureuse ! M. revient demain. » Je me demandai pendant un moment qui était M. Comme il est étrange aussi, et combien peu familier, de penser que l'on a été aimé, que l'on a par sa seule présence possédé le pouvoir de rendre heureuse ou triste une journée de la vie d'un autre être.

— Mais si vous consentiez à accepter un petit souvenir, monsieur...

— Mais bien entendu je l'accepte, Parkis.

— J'ai ici quelque chose qui pourrait vous intéresser et aussi vous être utile.

Il sortit de sa poche un objet enveloppé de papier

de soie et le glissa timidement vers moi sur le bureau. Je le débarrassai de son papier. C'était un cendrier bon marché où l'on pouvait lire Hôtel Métropole, Brightlingsea.

— Il y a toute une histoire qui s'y rattache. Vous vous rappelez, monsieur, le cas Bolton?

— Je ne crois pas le connaître.

— Ça a fait beaucoup de bruit à l'époque, monsieur. Lady Bolton, sa femme de chambre et un homme, surpris, ensemble, tous les trois. Ce cendrier se trouvait près du lit. Du côté de Milady.

— Vous avez dû réunir un vrai petit musée.

— J'aurais dû le donner à Mr Savage, il s'intéressait particulièrement à ce cas, mais je suis content aujourd'hui de ne pas l'avoir fait. Vous constaterez je pense que l'inscription va provoquer les commentaires de vos amis lorsqu'ils poseront leurs cigarettes, et vous aurez une réponse toute prête: le cas Bolton. Ils seront tous curieux d'avoir des détails.

— Cela fera, en effet, sensation.

— Tout cela est bien humain, monsieur, c'est l'amour humain. J'ai pourtant été très surpris, car je ne m'attendais pas au troisième. Et aussi parce que la chambre n'était ni grande, ni élégante. Mrs Parkis vivait encore à cette époque, mais je me suis bien gardé de lui raconter la chose en détail. C'était une femme qui se frappait facilement.

— Je garderai ce souvenir avec soin, dis-je.

— Ah! si les cendriers pouvaient parler, monsieur!

— Ah! certes, s'ils le pouvaient!

Mais, sur cette profonde pensée, Parkis lui-même

avait épuisé ses discours. Une dernière poignée de main, la sienne un peu poisseuse (il avait dû toucher la main de Lance), et il était parti. Il n'était pas de ceux qu'on s'attend à revoir. J'ouvris alors le journal de Sarah. Je pensai que j'allais d'abord retrouver ce jour de juin 1944 où tout s'était terminé; quand j'en aurais découvert la raison, il y aurait beaucoup de dates d'après lesquelles je pourrais, en les comparant avec mon propre journal, apprendre comment son amour avait peu à peu décliné. Je voulais traiter cela comme on doit traiter un document à l'appui d'un cas — un des cas de Parkis — mais je ne pus garder le calme nécessaire, car ce que je trouvai en ouvrant le journal n'était pas du tout ce que je prévoyais. La haine, la méfiance, l'envie m'avaient entraîné si loin que je lisais les paroles de Sarah comme une déclaration d'amour venant d'une inconnue. Je m'étais attendu à une série d'accablants témoignages contre elle (ne l'avais-je pas fréquemment prise en flagrant délit de mensonge?) et j'avais sous les yeux, en mots écrits que je pouvais croire, tandis que je n'aurais pas cru sa voix, la réponse complète. Ce furent les deux dernières pages que je lus en premier, et que je relus à la fin pour en être tout à fait sûr. C'est une chose étrange de découvrir et de croire qu'on est aimé, quand on sait que personne ne peut aimer personne qu'un père, une mère ou un Dieu.

LIVRE TROISIÈME

CHAPITRE PREMIER

... il ne nous restait plus rien, à la fin que Vous. A lui comme à moi. J'aurais pu passer toute ma vie à épuiser mon amour bribe par bribe, à le gaspiller çà et là, avec tel homme ou tel autre. Mais dès la première fois, dans cet hôtel près de Paddington, nous avons dépensé tout ce que nous possédions. Vous étiez présent, et Vous nous enseigniez à dissiper notre trésor comme vous l'avez enseigné à l'homme riche, afin qu'aujourd'hui rien ne nous reste, que cet amour pour Vous. Mais Vous me montrez trop de bonté. Quand je Vous demande la souffrance, Vous me donnez la paix. Donnez-la-lui, à lui aussi. Donnez-lui ma paix, il en a plus besoin que moi.

12 février 1946.

J'éprouvais, il y a deux jours, une si grande sensation de paix, de calme et d'amour! La vie allait recommencer à être bonne, mais la nuit passée, j'ai rêvé que je montais un long escalier pour rejoindre Maurice. J'étais encore heureuse parce que je savais qu'en haut de ces marches nous allions nous aimer. Je lui criai que j'arrivais, mais la voix qui me répondit n'était pas celle de Maurice; c'était celle d'un inconnu et elle claironnait comme la sirène qui avertit dans le brouillard les navires en détresse. J'avais grand-peur. Je pensais: « Il a loué son logement à quelqu'un, il est parti, je ne sais pas où il est »; je redescendis l'escalier et l'eau me montait jusqu'à la ceinture dans le vestibule qui s'était empli d'une brume épaisse. Alors, je me suis éveillée. Je ne suis plus en paix. J'ai envie de lui, exactement comme autrefois. J'ai envie de manger des sandwiches avec lui. J'ai envie de boire avec lui dans un bar. Je suis fatiguée et je ne veux plus souffrir. Je veux Maurice. Je veux de l'amour humain, ordinaire et corrompu. Mon Dieu, vous savez que je veux aspirer à partager Vos souffrances, mais je ne veux pas les partager tout de suite. Emportez-les pour le moment et donnez-les-moi une autre fois.

Après cela je repris le cahier au commencement. Elle n'avait pas écrit dans son journal tous les jours et je n'avais aucun désir de lire tout ce qu'elle y avait noté: les théâtres où elle était allée avec Henry, les restaurants, les réceptions... toute cette vie à laquelle je n'étais pas mêlé et qui avait encore le pouvoir de me meurtrir.

CHAPITRE II

12 juin 1944.

Certains jours, je suis très lasse de faire des efforts pour le convaincre que je l'aime et que je l'aimerai toujours. Il fonce sur mes paroles comme un juge d'instruction et il les déforme. Je sais qu'il a peur du désert qui l'environnerait si notre amour devait finir, mais il n'arrive pas à comprendre que ma crainte est exactement la même. Ce qu'il dit tout haut, je me le dis en silence et je l'écris ici. Que peut-on construire dans le désert ? Parfois, à la fin d'une journée où nous avons fait l'amour très souvent, je me demande s'il n'est pas possible que le désir physique s'épuise, et je sais qu'il se le demande aussi et qu'il a peur de cette borne où commence le désert. Que ferons-nous dans le désert si nous nous perdons l'un l'autre ? Comment peut-on continuer à vivre après cela ?

Il est jaloux du passé, du présent et de l'avenir. Son amour ressemble à l'une de ces ceintures de chasteté qu'on employait au Moyen Age, ce n'est que lorsqu'il est avec moi, en moi, qu'il se sent en sécurité. Si seulement je parvenais à le rassurer, alors nous pourrions nous aimer dans la paix et le bonheur sans cette frénésie sauvage, et le désert

reculerait, hors de notre vue. Peut-être pour toute la vie.
Si l'on pouvait croire en Dieu, emplirait-il le désert ?
J'ai toujours souhaité qu'on m'aime ou qu'on m'admire. Je me sens terriblement menacée si un homme me délaisse ou si je perds une amie. Je ne consens même pas à perdre un mari. Je veux avoir tout, tout le temps, partout. J'ai peur du désert. On dit dans les églises que Dieu nous aime et que Dieu est tout. Celles qui croient à cela n'ont pas besoin d'admiration, elles n'ont pas besoin de coucher avec un homme, elles se sentent à l'abri. Mais je ne puis m'inventer une croyance.

Tout aujourd'hui, Maurice a été délicieux avec moi. Il me dit souvent qu'il n'a jamais aimé aucune femme autant que moi. Il croit qu'en le répétant à maintes reprises il me le fera croire. Mais je le crois simplement parce que je l'aime exactement de la même manière. Si je cessais de l'aimer, je cesserais de croire à son amour. Si j'aimais Dieu, je croirais à l'amour de Dieu pour moi. Il ne suffit pas d'en avoir besoin. Il faut d'abord que nous aimions et je ne sais pas comment faire. Mais j'en ai besoin, oh ! comme j'en ai besoin !

Toute la journée, il a été charmant. Une seule fois, j'ai prononcé le nom d'un homme et j'ai vu ses yeux se détourner. Il croit que je couche encore avec d'autres hommes, et même si je le faisais, cela aurait-il tant d'importance ? S'il s'offre une femme de temps en temps, est-ce que je m'en plains ? Je ne voudrais pas le priver d'un peu de camaraderie dans le désert si nous ne pouvons pas y être réunis. Je pense quelquefois que si ce jour venait, il me refuserait jusqu'à un verre d'eau; il me réduirait à une solitude si totale que je serais seule, sans rien ni personne, comme les ermites, sauf que les ermites n'étaient jamais seuls, dit-on. Mes idées sont toutes brouillées. Que nous faisons-nous l'un à l'autre ? Car je sais que je lui fais exactement ce qu'il me fait. Nous sommes parfois merveilleusement heureux, et nous n'avons jamais été plus malheureux de notre vie. C'est comme si nous travaillions ensemble à la même statue, en taillant chacun dans la souffrance de l'autre. Et je n'en connais même pas le dessin.

17 juin 1944.

Hier je suis allée chez lui et nous avons fait les choses que nous faisons toujours. Je n'ai pas le courage de les noter et pourtant j'aimerais l'avoir, ce courage, car le moment où j'écris est déjà demain et j'ai peur d'arriver à la fin d'hier. Tant que j'écris, hier est aujourd'hui et nous sommes encore ensemble.

Pendant que je l'attendais hier, il y avait des orateurs sur les Allées : celui du ILP[1] et celui du Parti communiste, et le type qui se contente de raconter des blagues; il y en avait un autre qui attaquait le christianisme au nom de la Société rationaliste de Londres-Sud, ou quelque chose comme cela. Il aurait été beau, s'il n'avait eu des taches qui lui couvraient la joue. Très peu de gens l'écoutaient et il ne se trouvait pas

---

[1] Independent Labour Party.

un seul badaud pour le contredire. Il voulait tuer une chose qui est déjà morte et je me suis demandé pourquoi il se donnait tout ce mal. Je me suis arrêtée pour l'écouter quelques minutes: il réfutait un à un les arguments qui sont en faveur de l'existence d'un Dieu. Je ne savais même pas qu'il y en avait, excepté cette assurance contre la solitude dont je ressens le besoin poltron.

J'eus brusquement peur qu'Henry n'ait changé d'idée et ne m'ait envoyé un télégramme pour dire qu'il serait à la maison. Je ne sais jamais ce que je redoute le plus: ma propre déception ou la déception de Maurice. Le résultat est toujours le même: nous nous cherchons querelle. Je suis irritée contre moi-même et Maurice l'est contre moi. Je rentrai à la maison, n'y trouvai pas de télégramme; j'arrivai dix minutes en retard à mon rendez-vous avec Maurice, je commençai à me mettre en colère pour être au niveau de sa colère, mais contre toutes mes appréhensions il fut adorable avec moi.

Nous n'avions jamais eu à nous une aussi longue journée et la nuit entière devait suivre. Nous achetâmes de la laitue, des petits pains, nos rations de beurre, nous n'avions pas faim et il faisait très chaud. Il fait chaud aussi aujourd'hui; tout le monde dit: « Quel bel été », et je suis dans le train pour aller rejoindre Henry et tout est fini pour toujours. J'ai peur; c'est *ceci* le désert, il n'y a rien ni personne à des lieues et des lieues à la ronde. Si j'étais à Londres je pourrais être tuée et mourir sur le coup, mais si j'étais à Londres, je courrais au téléphone pour former le seul numéro que je sache par cœur. J'oublie souvent le mien; je suppose que Freud dirait que je désire l'oublier parce que c'est aussi le numéro d'Henry. Et pourtant j'aime bien Henry; je veux qu'il soit heureux. Je le hais aujourd'hui parce qu'il est heureux, tandis que je ne le suis pas et que Maurice ne l'est pas et qu'il ne comprendra rien. Il va dire que j'ai mauvaise mine et il pensera que j'ai mes affaires: il ne se donne plus le mal de tenir le compte de ces jours du mois.

Ce soir, les sirènes ont mugi. (Je veux dire naturellement hier soir, mais qu'importe? Dans le désert, le temps n'existe pas.) D'ailleurs, je puis sortir du désert quand je voudrai. Je n'ai qu'à sauter dans un train demain, rentrer à la maison et l'appeler au téléphone. Henry sera sans doute encore à la campagne et nous pourrons passer la nuit ensemble. Un serment n'a pas tellement d'importance, un serment fait à quelqu'un que je n'ai jamais connu, à quelqu'un en qui je ne crois pas vraiment. Personne ne saura que j'ai rompu un serment, sauf moi et Lui: or, Il n'existe pas, n'est-ce pas? Il ne peut pas exister. Il ne peut y avoir à la fois un Dieu miséricordieux et ce désespoir.

Si je rentrais, où en serions-nous? où nous en étions hier, avant le signal d'alerte, et l'année dernière. Furieux l'un contre l'autre par peur de la fin, à nous demander ce que nous ferions de la vie quand il ne nous resterait rien. Je n'ai plus besoin de me le demander. La fin est là. Mais que ferai-je, mon Dieu, de ce désir d'aimer?

Pourquoi ai-je écrit « mon » Dieu? Il n'est pas mon Dieu, et je ne l'aime pas. S'il existe, c'est lui qui m'a mis en l'esprit cette idée de faire un serment et je le hais de me l'avoir suggérée. Je suis pleine de haine. Toutes les quatre ou cinq minutes, une église de pierre grise et un bistrot apparaissent et disparaissent le long de la voie du chemin de fer : le désert est rempli d'églises et de bistrots. Aussi de boutiques multiples, d'hommes sur des bicyclettes, d'herbe, de vaches et de cheminées d'usine. On les voit à travers le sable comme des poissons dans l'eau d'un aquarium. Il y a aussi dans cet aquarium Henry qui, la tête levée, attend mon baiser.

Les sirènes nous avaient laissés indifférents. Elles étaient sans importance. Nous n'avions pas peur de mourir de cette manière. Mais voilà que l'alerte n'en finissait pas. Ce n'était pas un raid ordinaire. Les journaux n'ont pas encore le droit d'en parler, mais tout le monde est au courant. C'est le nouvel engin qu'on nous avait annoncé. Maurice est descendu pour voir s'il y avait quelqu'un au sous-sol; il avait peur pour moi et j'avais peur pour lui. Je savais que quelque chose allait arriver.

Il n'y avait pas deux minutes qu'il était parti que j'entendais une explosion dans la rue. La chambre de Maurice donne sur la cour, il ne se produisit donc rien sauf que la porte fut ouverte par le souffle de l'explosion et qu'un peu de plâtre tomba du plafond; mais je savais que Maurice était sur le devant de la maison quand la bombe était tombée. Je descendis; l'escalier était jonché de plâtras et des débris de la rampe, le vestibule n'était plus qu'un horrible fouillis. D'abord, je ne vis pas Maurice, et puis j'aperçus son bras qui dépassait de dessous la porte. Je lui touchai la main : j'aurais juré que c'était la main d'un mort.

Quand deux êtres se sont aimés, ils ne peuvent se dissimuler la moindre absence de tendresse dans un baiser; alors, comment n'aurais-je pas reconnu la vie, en touchant cette main, s'il en était resté encore? Je savais que si je prenais cette main pour la tirer vers moi, elle se détacherait et sortirait toute seule, de dessous cette porte. Je sais maintenant, bien sûr, que c'était de l'affolement. J'ai été bernée. Il n'était pas mort. Est-on responsable de ce qu'on promet dans un moment d'affolement? Ou d'une promesse rompue? Je suis encore folle d'écrire tout ceci, mais il n'existe pas un seul être, où que ce soit, à qui je pourrais dire simplement que je suis malheureuse, car tous me demanderaient pourquoi, les questions commenceraient et je m'effondrerais. Il ne faut pas que je m'effondre parce que je dois protéger Henry. Oh! que le diable l'emporte, Henry, que le diable l'emporte! J'ai besoin de quelqu'un qui accepte la vérité à mon sujet et qui n'ait pas besoin de ma protection. Même si je suis une garce, un fantoche, une imposture, personne ne peut-il aimer une garce, un fantoche, une imposture?

Je m'agenouillai sur le plancher: il fallait que je sois folle pour faire ça. Même quand j'étais petite, on ne me l'a jamais fait faire; mes parents ne croyaient pas à la prière, pas plus que je n'y crois. Je n'avais aucune idée de ce que j'allais dire. Maurice était mort. Anéanti. Ce qu'on appelle une âme n'existe pas. Même le demi-bonheur que je lui donnais s'était écoulé hors de son corps comme du sang. Il n'aurait jamais plus l'occasion d'être heureux. Avec personne, pensai-je; une autre femme aurait pu l'aimer et le rendre plus heureux que je ne l'avais fait, mais il n'en aurait plus désormais l'occasion. Je me mis à genoux, la tête appuyée sur le lit; j'aurais voulu pouvoir croire.

— Mon Dieu, dis-je, (pourquoi *mon* Dieu, pourquoi?) faites-moi croire. Je ne peux pas. Forcez-moi.

Je répétai:

— Je suis une garce, un faux jeton et je me déteste. Je ne peux pas arriver à faire de moi quelque chose de bien. Forcez-moi à croire.

Je fermai les yeux très fort et j'enfonçai mes ongles dans les paumes de mes mains jusqu'à ne plus sentir rien d'autre que cette douleur, tout en répétant:

— Je veux croire. Qu'il soit vivant et je croirai. Qu'une chance de vivre lui soit accordée. Qu'il ait *son* bonheur. Faites-le et je croirai.

Mais cela ne suffisait pas. Croire, ce n'est pas souffrir. Aussi, j'ajoutai:

— Je l'aime et je donnerai n'importe quoi si vous faites qu'il soit vivant.

Je dis très lentement:

— Je renoncerai à lui pour toujours, mais qu'il soit vivant et qu'il ait sa chance.

Et je crispai mes poings de plus en plus fort, je sentis la peau craquer; je dis:

— Les gens peuvent s'aimer sans se voir, n'est-ce pas, ils Vous aiment toute leur vie sans Vous voir.

Et alors, il a surgi au seuil de la chambre, et il était vivant, et j'ai pensé: « Maintenant commence la torture de vivre sans lui et comme je voudrais qu'il soit de nouveau mort sous la porte, à l'abri de tout. »

9 juillet 1944.

Attrapé le train de 8 h. 30 avec Henry. Compartiment de premières vide. Henry a lu à haute voix le procès-verbal de la commission royale. Trouvé un taxi à Paddington et déposé Henry au ministère. Lui ai fait promettre de rentrer dîner ce soir. Le chauffeur de taxi s'est trompé, a pris les Allées par le sud et m'a fait passer devant le 14. Porte réparée, fenêtres en façade garnies de planches. C'est horrible de se sentir mort. On a envie d'être vivant, n'importe comment. Quand je suis arrivée du côté nord, j'ai trouvé de vieilles lettres qu'on n'avait pas fait suivre parce que j'en avais laissé l'ordre: ne rien réexpédier. De vieux catalogues de libraires, de vieilles factures, une lettre qui portait: « Urgent. Prière de faire suivre » sur l'enveloppe. J'avais envie de l'ouvrir, pour voir si j'étais encore vivante, mais je l'ai déchirée en même temps que les catalogues.

CHAPITRE III

10 juillet 1944.

Je pensai que je ne manquerais pas à ma promesse si je rencontrais accidentellement Maurice sur les Allées alors je suis sortie après le petit déjeuner, et de nouveau après le déjeuner, et une troisième fois au début de la soirée, et j'ai tourné en rond sans le voir. Je ne pouvais rester dehors après six heures, car Henry avait des invités pour le dîner. Les orateurs en plein vent étaient là, comme en juin, et l'homme aux taches continuait d'attaquer la religion sans que personne se souciât de lui. Je pensai : « Si seulement il arrivait à me convaincre qu'on n'est pas forcé de tenir une promesse faite à quelqu'un en qui l'on ne croit pas et que les miracles ne se produisent pas » ; j'allai l'écouter pendant quelques instants, mais sans cesser de regarder autour de moi, pour le cas où Maurice serait en vue. L'homme parlait de la date des Évangiles ; il disait que le premier n'avait été écrit que cent ans après la naissance du Christ. Je ne m'étais jamais rendu compte qu'ils remontaient à une époque aussi lointaine, et je ne voyais pas quelle importance pouvait avoir la date où la légende avait pris naissance. Et il nous raconta que le Christ n'avait jamais prétendu être Dieu dans les Évangiles, mais le Christ avait-il seulement existé et qu'importent les Évangiles, au surplus, comparés à la souffrance d'attendre, de guetter Maurice, sans réussir à le voir. Une femme aux cheveux gris distribuait de petites cartes sur lesquelles étaient imprimés son nom et son adresse : Richard Smythe, Cedar Road, invitant tous ceux qui voulaient à venir s'entretenir avec lui, en particulier. Il y avait des gens qui refusaient de prendre le prospectus et qui s'éloignaient brusquement, comme si la femme avait fait une collecte, d'autres laissaient tomber les petits cartons sur l'herbe (je la vis qui en ramassait quelques-uns, par économie sans doute). Tout cela me parut très triste; ces horribles taches, ces discours sur un sujet qui n'intéressait personne, et ces cartes jetées à terre semblables à des offres d'amitié repoussées. Je mis la carte dans ma poche en souhaitant que l'homme m'ait vue faire ce geste.

Sir William Mallock est venu dîner ce soir-là. Il a été l'un des conseillers de Lloyd George sur la question des assurances nationales, il est très vieux et très important. Henry n'a, bien entendu, plus aucun rapport avec les assurances, mais il continue de s'y intéresser et aime à se rappeler cette époque. N'était-ce pas à la question des pensions aux veuves qu'il travaillait le soir où nous avons dîné ensemble, Maurice et moi, et où tout a débuté? Henry entama avec Mallock une longue discussion bourrée de statistiques pour savoir si en augmentant d'un shilling les pensions de veuves, on arriverait au même plafond qu'il y a dix ans. Ils n'étaient pas d'accord sur le coût de la vie et c'était une discussion très platonique, car ils étaient persuadés l'un et l'autre que de toute façon le pays n'avait pas les moyens de les augmenter. Il fallait que je parle à l'homme qui est le chef d'Henry au Ministère de la sécurité nationale, et je n'arrivais pas à trouver d'autre sujet de conversation que les V 1 ; alors, j'ai eu brusquement envie de raconter à tout le monde qu'en arrivant au rez-de-chaussée, j'avais trouvé Maurice enterré. Je voulais leur dire : « J'étais nue, naturellement, car je n'avais pas pris le temps de me rhabiller. » Sir William Mallock aurait-il seulement tourné la tête ; Henry aurait-il entendu ? Il possède un don étonnant pour n'entendre rien, hors du sujet qui l'occupe, et ce qui l'occupait alors c'était l'indice du coût de la vie en 1943. J'aurais voulu dire : « J'étais nue, parce que Maurice et moi nous avions fait l'amour toute la soirée. »

Je regardai le chef d'Henry. C'est un homme du nom de Dunstan. Il a le nez cassé, et sa figure toute bosselée a l'air d'un « loup » de potier, c'est un visage « impropre à l'exportation ». Il se contenterait de sourire, pensai-je, il ne serait ni indigné, ni indifférent, il accepterait cela comme une de ces choses que font les humains. J'avais le sentiment qu'il me suffirait de lui montrer le moindre encouragement pour qu'il y répondît. Je me demandai : « Pourquoi pas ? Pourquoi n'échapperais-je pas à ce désert, ne serait-ce que pour une demi-heure ? La promesse que j'ai faite ne concerne pas les étrangers, rien que Maurice. Je ne peux pas rester seule, avec Henry, jusqu'à la fin de ma vie, sans personne pour m'admirer, pour me désirer, à écouter Henry discuter avec des gens, à me transformer en fossile comme le chapeau melon dans la fontaine pétrifiante des grottes de Cheddar. »

15 juillet 1944.

Déjeuné avec Dunstan au Jardin-des-Gourmets. Il m'a dit...

21 juillet 1944.

Cocktails avec Dunstan chez nous pendant qu'il attendait Henry. Cela s'est terminé...

22 juillet 1944.

Dîné avec D. Il m'a ramenée à la maison et nous avons bu. Mais ça ne donne rien, ça ne donne rien.

23-30 juillet 1944.

D. a téléphoné. Fait répondre que j'étais sortie. Partie en tournée avec Henry. Défense passive dans le sud de l'Angleterre. Conférence avec les chefs d'îlot et les ingénieurs locaux. Problème des explosions. Problème des abris en profondeur. Problème de faire comme si l'on était vivant. Dormi côte à côte, Henry et moi, une nuit après l'autre, comme des gisants sur des tombeaux. Dans l'abri récemment renforcé de Bigwell-on-Sea, le chef d'îlot m'a embrassée. Henry était parti en avant, dans la seconde salle, avec le maire et l'ingénieur, et j'ai arrêté le chef d'îlot en lui touchant le bras, pour lui poser une question au sujet des cellules d'acier, une question idiote: pourquoi n'y avait-il pas de cellules doubles pour gens mariés. Je voulais qu'il ait envie de m'embrasser. Il m'a retournée et appuyée contre une cellule, de sorte que la paroi de métal traçait une ligne douloureuse en travers de mon dos, et il m'a embrassée. Après, il a eu l'air tellement surpris que j'ai éclaté de rire et que je lui ai rendu son baiser. Mais rien n'a bougé. Rien ne bougera-t-il plus jamais? Le maire est revenu avec Henry. Il disait:

— En un clin d'œil, nous pouvons trouver de la place pour deux cents personnes.

Ce soir-là, pendant qu'Henry assistait à un dîner officiel, j'ai demandé à l'inter de m'appeler le numéro de Maurice. J'étais étendue sur mon lit et j'attendais la communication. J'ai dit à Dieu: « J'ai tenu ma promesse depuis six semaines. Je ne peux pas croire en vous, je ne peux pas vous aimer, mais j'ai tenu ma promesse. Si je ne retrouve pas la vie je vais devenir une fille publique, une vraie putain. Je vais me détruire délibérément. D'année en année, je m'anéantirai davantage. Aimerez-vous mieux cela que si je manquais à ma promesse? Je serai comme ces femmes de bar qui rient trop fort et que trois hommes pelotent à la fois, sans amour. Je commence déjà à tomber en pièces. »

J'avais niché le récepteur dans le creux de mon épaule. J'entendis le central me dire:

— Nous appelons votre numéro.

Je dis à Dieu: « S'il répond, je repars demain. Je connais la place exacte où se trouve son téléphone à côté de son lit. Une fois, en dormant, je l'ai fait tomber d'un coup de poing. » Une jeune voix féminine répondit : « Allô », et je faillis raccrocher. J'avais souhaité que Maurice fût heureux, mais avais-je souhaité sincèrement qu'il trouvât le bonheur tout à fait aussi vite ? J'eus un petit pincement au creux de l'estomac, jusqu'au moment où la logique vint à mon aide et où je forçai mon cerveau à argumenter avec moi : « Pourquoi pas ? Tu l'as quitté, tu voulais qu'il soit heureux. »

— Puis-je parler à Mr Bendrix ? demandai-je.

Mais la ligne était devenue muette. Peut-être était-ce lui maintenant qui refusait de me laisser rompre ma promesse ? Peut-être avait-il trouvé quelqu'un qui demeurait chez lui, partageait ses repas, sortait avec lui, dormait dans son lit toutes les nuits jusqu'à que cela devienne pour tous les deux une douce habitude, et répondait au téléphone pour lui. Puis la voix revint :

— Mr Bendrix n'est pas ici. Il est parti pour plusieurs semaines. Il m'a prêté son appartement.

Je raccrochai. J'eus d'abord un moment de joie, puis je retombai dans ma détresse. Je ne savais pas où il était. Nous n'avions plus de contact. Nous étions dans le même désert, peut-être, à la recherche des mêmes trous d'eau, mais sans nous voir et toujours seuls, car ce ne serait pas un désert si nous y étions ensemble. Je dis à Dieu : « Alors, c'est comme ça. Je commence à croire en vous, et si je crois en vous je vais vous haïr. Je suis libre de rompre mon engagement, n'est-ce pas ? mais je n'ai pas la possibilité de profiter de ce parjure. Vous me laissez téléphoner, et puis vous me fermez la porte au nez. Vous me laissez pécher, mais vous me privez du fruit de mon péché. Vous me laissez chercher une évasion avec D. mais vous ne me permettez pas d'y trouver de la joie. Vous me laissez écarter de moi l'amour et puis vous me dites: la jouissance elle-même te sera interdite. Qu'attendez-vous de moi maintenant, Dieu? Où irai-je, en partant d'ici? »

A l'école, on m'a parlé d'un roi, un des Henry, celui qui a fait assassiner Becket; lorsqu'il vit sa ville natale brûlée par ses ennemis, il jura solennellement que, puisque Dieu lui avait fait cela... « puisque Vous m'avez dépouillé de la ville que j'aime par-dessus tout, la ville où je suis né et où j'ai grandi, je Vous priverai de ce que Vous aimez par-dessus tout en moi ». C'est étrange qu'au bout de seize ans je me rappelle cette prière. Un roi a fait ce serment, à cheval, il y a sept cents ans, et je répète sa prière, dans la chambre d'un hôtel de Bigwell-on-Sea, le Bigwell-Regis: « Dieu, je vais vous priver de ce que vous aimez par-dessus tout en moi. Je n'ai jamais su le Pater par cœur, mais je me suis rappelé cette prière-là (est-ce bien une prière?). De ce que vous aimez par-dessus tout en moi.

» Qu'aimez-vous par-dessus tout? Si je croyais en vous, je suppose que je croirais en l'immortalité de l'âme, mais est-ce mon âme immortelle que vous aimez? Pouvez-vous vraiment voir l'âme, sous la peau? Même un Dieu ne peut aimer une chose qui n'existe pas, il ne peut aimer une chose qu'il ne voit pas. Quand il me regarde, voit-il une chose que je ne puisse voir? S'il peut l'aimer, alors cette chose doit être aimable. C'est trop me demander que me demander de croire qu'il existe en moi quelque chose d'aimable. Je veux que les hommes m'admirent mais ça, c'est un truc qu'on apprend à l'école : un battement de paupières, une inflexion de la voix, une main qui se pose sur une épaule, ou caresse une tête. S'ils pensent que vous les admirez, les hommes vous admirent à cause de votre bon goût, et quand ils vous admirent, vous avez pendant un moment l'illusion qu'il y a en vous quelque chose à admirer. Toute ma vie, j'ai essayé d'entretenir cette illusion, comme je prendrais une potion calmante qui me permette d'oublier que je suis une garce et une imposture. Mais que pouvez-vous trouver à aimer dans cette garce, ce faux jeton ? Où la voyez-vous, cette âme immortelle dont ils parlent ? Où trouvez-vous chez moi cette chose aimable, chez moi, entre tous les humains ? Je comprends encore que vous la trouviez chez Henry (je parle de *mon* Henry). Il est doux, bon et patient. Vous pouvez la trouver chez Maurice qui s'imagine haïr et qui aime, aime sans arrêt. Même ses ennemis. Mais en cette garce, ce fantoche, où trouvez-vous quelque chose à aimer ?

» Dites-le-moi, Dieu, et je m'efforcerai de vous en priver pour toujours.

» Comment le roi a-t-il tenu sa promesse ? Je voudrais me le rappeler. Tout ce que je me rappelle d'autre à son sujet, c'est qu'il a demandé aux moines de le fouetter sur la tombe même de Becket, ce qui ne ressemble guère à une réponse. Mais peut-être que c'est arrivé avant.

» Henry s'absente encore ce soir. Si je descends au bar, si je raccroche un homme et si je l'emmène sur la plage pour coucher avec lui dans les dunes de sable, est-ce qu'en faisant ça je vous déroberai ce que vous aimez en moi par-dessus tout ? Mais cela reste inopérant à présent. Si je n'y prends aucun plaisir, cela ne peut pas vous blesser. C'est aussi vain que si je m'enfonçais des épingles dans le corps, comme ces gens qui vivent dans le désert. Le désert. Je veux faire une chose dont je tirerai une jouissance et qui vous fera du mal. Autrement, ce n'est qu'une mortification et cela ressemble à un acte de foi. Or, croyez-moi, Dieu, je ne crois pas en vous, pas encore. Je ne crois pas encore en vous. »

CHAPITRE IV

12 septembre 1944.

Déjeuné chez Peter Jones et acheté une lampe neuve pour le bureau d'Henry. Un déjeuner très collet monté, au milieu d'un tas de femmes. Pas un seul homme en vue. J'avais l'impression d'appartenir à un régiment. Sensation proche de la paix. Ensuite, séance d'actualités au Cinéma de Piccadilly, où j'ai vu les ruines de Normandie et l'arrivée d'un homme politique américain. Rien à faire jusqu'au retour d'Henry, à sept heures. Bu deux whiskies à l'eau, toute seule. Ils ne m'ont pas réussi. Faut-il aussi que je cesse de boire? Si je supprime tout, comment existerai-je? J'étais quelqu'un qui aimait Maurice, fréquentait des hommes et avait plaisir à boire. Qu'arrive-t-il quand on renonce à tout ce qui faisait de vous: *je?* Henry est rentré. J'ai vu tout de suite qu'il était content; il avait visiblement envie que je lui demande pourquoi, mais je n'ai pas voulu. Alors, à la fin, il a bien fallu qu'il me le dise.

— On m'a proposé pour l'*OBE*[1].

— Qu'est-ce que c'est? ai-je demandé.

Il a été abasourdi que je ne le sache pas. Il m'a

---

[1] Order of the British Empire.

expliqué que l'étape suivante, dans un an ou deux, lorsqu'il serait à la tête de son service, serait le *CBE*[1], et « après cela, a-t-il ajouté, quand je prendrai ma retraite, ils me nommeront probablement *KBE*[2] ».

— C'est bien compliqué, ai-je dit, pourquoi ne gardes-tu pas toujours les mêmes initiales ?

— Est-ce que tu n'aimerais pas être lady Miles ? demanda Henry.

Et j'ai pensé avec fureur: la seule chose au monde que j'aimerais être c'est Mrs Bendrix, et j'ai abandonné cet espoir à jamais. Lady Miles... qui n'a pas d'amant, qui ne boit pas, mais qui fait la conversation avec sir William Mallock sur le sujet des pensions civiles et militaires. Où serai-je, moi, Sarah, pendant ce temps-là?

Hier soir, j'ai regardé Henry pendant qu'il dormait. Tant que j'étais coupable aux yeux de la loi, je pouvais le considérer avec affection, comme un enfant qui avait besoin que je le protège. Maintenant que je suis ce qu'on appelle « innocente », il m'horripile continuellement. Il a une secrétaire qui lui téléphone quelquefois à la maison. Elle dit: « Oh! Mrs Miles, est-ce que H. M. est chez lui ? » Toutes les secrétaires se servent de ces insupportables initiales, qui ne sont pas une marque de familiarité, mais de bonne camaraderie. « H. M. pensai-je en le regardant dormir, H. M.: His Majesty, Sa Majesté et sa consorte... »

Il souriait dans son sommeil d'un sourire sommaire

---

[1] Compagnon de l'Ordre de l'Empire britannique.
[2] Chevalier de l'OEB.

et discret de fonctionnaire civil, comme pour dire:
« Oui, oui, très drôle, et maintenant si nous nous
remettions un peu au travail, voulez-vous? »
Je lui ai demandé un jour:
— As-tu quelquefois eu des rapports avec une de
tes secrétaires?
— Des rapports?
— Des rapports amoureux.
— Mais non, bien sûr que non. Où es-tu allée chercher une idée pareille?
— Je ne sais pas. Je me le demandais, c'est tout.
— Je n'ai jamais aimé que toi, m'a-t-il dit, et il s'est remis à lire le journal du soir.
Je n'ai pas pu m'empêcher de penser: « Mon mari manque-t-il à ce point de séduction qu'aucune femme n'a jamais envie de lui? Sauf moi, bien sûr. » J'ai dû avoir envie de lui, d'une certaine manière, jadis, mais j'ai oublié pourquoi et j'étais trop jeune pour savoir ce que je choisissais. Comme c'est injuste. Tant que j'aimais Maurice, j'aimais Henry. Maintenant que je ne suis plus « coupable » comme on dit, je n'aime personne. Et Vous moins que personne.

CHAPITRE V

8 mai 1945.

Suis descendue jusqu'au Parc Saint-James dans la soirée pour voir les fêtes de la Victoire. Tout était très calme au bord de l'eau illuminée par les projecteurs, entre la caserne des Horse Guards et le palais. Personne ne criait, personne ne chantait, personne n'était ivre. Les gens s'étaient assis sur l'herbe, par couples, la main dans la main. Je suppose qu'ils se sentaient heureux parce qu'on était en paix et qu'il n'y avait plus de bombes. J'ai dit à Henry :

— Je n'aime pas la paix.

— Je me demande où je vais être désigné, après la Sécurité nationale.

— L'Information? demandai-je, pour avoir l'air de m'y intéresser.

— Oh! non, je ne l'accepterais pas. C'est plein de fonctionnaires intérimaires. Que dirais-tu de l'Intérieur?

— Pourvu que ça te plaise, Henry... dis-je.

Alors, la famille royale est sortie sur le balcon et la foule a chanté très solennellement. Ce n'étaient pas de grands chefs comme Hitler, Staline, Churchill ou Roosevelt, c'était tout simplement une famille qui n'avait fait de mal à personne. J'aurais voulu avoir Maurice à côté de moi. J'aurais voulu tout recommencer. J'aurais voulu faire partie d'une famille, moi aussi.

— C'est très émouvant, n'est-ce pas, dit Henry. Enfin, nous allons pouvoir passer la nuit à dormir tranquilles désormais.

Comme si nous faisions jamais autre chose, la nuit, que dormir tranquilles.

16 septembre 1945.

Il faut que je sois raisonnable. Il y a deux jours, en vidant mon vieux sac (Henry m'a fait la surprise de m'en donner un qu'il a dû payer très cher, comme « cadeau de paix »), j'ai trouvé la carte de Richard Smythe, 16, Cedar Road, tous les jours de quatre à six. Conseils personnels. Tous bienvenus. Je réfléchis que j'avais été trop longtemps ballottée à droite et à gauche et que j'allais essayer d'un autre remède. S'il peut me persuader que rien n'est arrivé, que ma promesse ne compte pas, j'écrirai à Maurice pour lui demander s'il veut tout recommencer. Peut-être même quitterai-je Henry. Je ne sais pas. Mais d'abord, il faut que je sois raisonnable. Plus d'exaltation, ni de nerfs. Je vais être pondérée. Je suis donc allée au 16, Cedar Road, et j'ai appuyé sur la sonnette.

Maintenant, j'essaie de me rappeler ce qui s'est passé. Miss Smythe a fait le thé, et après le thé elle s'est retirée pour me laisser seule avec son frère. Il m'a demandé de lui raconter mes ennuis. J'étais assise sur un divan couvert de chintz et lui sur une chaise qui paraissait dure, un chat sur les genoux. Il caressait le chat; ses mains sont assez belles et je ne les aime pas. J'aime presque mieux les taches qu'il a sur le visage, mais il s'était assis de façon à ne me montrer que la joue intacte.

— Voulez-vous me dire, lui ai-je demandé, pourquoi vous êtes tellement sûr que Dieu n'existe pas?

Il a examiné ses propres mains qui caressaient le chat et je me suis sentie triste pour lui, parce qu'il est fier de ses mains. Si son visage n'avait pas été marqué, peut-être n'aurait-il pas eu cette vanité.

— Vous m'avez entendu parler sur les Allées?

— Oui, dis-je.

— Là, je dois exposer les idées sous une forme très simple. Aiguillonner les gens afin de les faire réfléchir pour leur propre compte. Vous avez commencé à réfléchir pour votre propre compte?

— Je le suppose.

— Dans quelle religion avez-vous été élevée?

— Aucune.

— Ainsi vous n'êtes pas chrétienne?

— Il se peut que j'aie été baptisée. C'est une convention mondaine, n'est-ce pas?

— Si vous n'avez pas de foi, pourquoi venir solliciter mon aide?

Pourquoi, en vérité? Je ne pouvais pas lui parler de Maurice sous la porte et de ma promesse. Pas encore. Et ce n'était d'ailleurs pas exactement de cela qu'il s'agissait: combien de promesses j'ai faites et rompues dans ma vie! Pourquoi celle-ci s'obstine-t-elle à demeurer comme un vase très laid qu'on a reçu en cadeau et qu'on souhaiterait voir casser par la bonne; les années se suivent, la bonne casse tous les objets auxquels on tient et l'horrible vase est toujours là. Je n'étais pas vraiment préparée à répondre à cette question: il dut la répéter.

— Je ne suis pas sûre de ne pas croire, répondis-je, mais je ne veux pas croire.

— Dites-moi, commença-t-il.

Et parce qu'il oublia la beauté de ses mains et qu'il tourna vers moi sa joue si affreuse, s'oubliant lui-même dans son désir de m'aider, je me trouvai en train de lui parler de lui raconter cette nuit, la bombe qui était tombée et mon absurde serment.

— Et vous croyez vraiment, dit-il, que peut-être...

— Oui.

— Pensez aux milliers de gens qui prient en ce moment, de par le monde, et dont les prières ne sont pas exaucées.

— Il y avait des milliers de gens qui mouraient en Palestine lorsque Lazare...

— Voyons, dit-il, vous et moi, nous ne croyons pas à cette histoire.

Il parlait sur un ton de quasi-complicité.

— Bien sûr que non, mais des millions de personnes y ont cru. Ils l'ont sans doute trouvée rationnelle...

— Les gens n'exigent pas qu'une chose soit rationnelle, pourvu que leur sensibilité en soit émue. Est-ce que les amants sont rationnels?

— Avez-vous donc éclairci le mystère de l'amour de la même façon expéditive?

— Oh! oui, dit-il. Chez certains c'est le désir de

posséder, une forme d'avarice; chez d'autres, le désir de se soumettre, de perdre le fardeau de la responsabilité ou le désir d'être admiré. Parfois, ce n'est que le besoin de parler, de s'épancher devant quelqu'un qui n'en montrera pas d'ennui; le désir de retrouver un père et une mère. Et naturellement, au fond de tout cela, le motif biologique.

Je pensais: « Tout ce qu'il dit est vrai, mais est-ce qu'il n'oublie pas quelque chose ? J'ai creusé et découvert déjà tout cela en moi-même, et en Maurice, et cependant la bêche n'a pas encore frappé le roc. »

— Et l'amour de Dieu ? demandai-je.

— C'est exactement la même chose. L'homme a fait Dieu à sa propre image, aussi est-il naturel qu'il l'aime. Vous avez vu dans les foires les miroirs déformants ? L'homme s'est fabriqué un miroir embellissant, il s'y voit sous les traits d'un être séduisant, puissant, juste et sage. C'est l'image même qu'il se fait de lui-même. Il s'y reconnaît plus facilement que dans le miroir déformant qui ne parvient qu'à provoquer son rire, tandis qu'il s'aime si tendrement dans l'autre !

En l'écoutant parler de miroirs déformants et embellissants, j'oubliais le sujet de notre entretien car je pensais à toutes les fois qu'il avait dû, depuis son adolescence, examiner son propre reflet en essayant de rendre embellissants les miroirs déformants, simplement par la façon dont il penchait la tête. Je me demandai pourquoi il ne portait pas une barbe assez longue pour cacher les taches, est-ce que les poils avaient refusé de pousser à cet endroit ou lui-même se refusait-il à cette tromperie ? Il me semblait que cet homme avait vraiment l'amour de la vérité, mais voici ce mot amour qui revient, et il était trop évident que son amour de la vérité se composait de désirs multiples : compensation pour son infirmité innée, goût du pouvoir, besoin d'être d'autant plus admiré que le pauvre visage hanté ne provoquerait jamais le moindre désir physique. J'éprouvais une grande envie de poser ma main sur ce visage, de le réconforter par des paroles de tendresse aussi permanentes que sa blessure. Comme à l'instant ou j'avais vu Maurice sous la porte, j'aurais voulu prier : offrir un sacrifice extraordinaire en échange de la guérison de ce visage, mais il ne me reste plus rien à sacrifier désormais.

— Mon enfant, dit-il, laissez de côté l'idée de Dieu. Il est question uniquement de votre mari et de votre amant. Ne faussez pas le problème en y introduisant des fantômes.

— Mais comment puis-je me prononcer, si l'amour n'existe pas ?

— Il faut que vous vous prononciez pour ce qui, à la longue, sera la source du plus grand bonheur.

— Vous croyez au bonheur ?

— Je ne crois en rien d'absolu.

Je pensais : « Le seul bonheur qu'il éprouve jamais est celui-ci : l'idée qu'il peut consoler, conseiller et aider, l'idée qu'il peut être utile. C'est cela qui le pousse à parler toutes les semaines sur les Allées, pour ces gens qui s'en vont sans lui poser de questions, et laissent tomber sa carte sur l'herbe. Combien de fois lui arrive-t-il qu'on vienne le trouver comme je l'ai fait aujourd'hui ? »

— Avez-vous beaucoup de visites? lui demandai-je.
— Non.
Son amour de la vérité était plus grand que son amour-propre. Il ajouta:
— La vôtre est la première, depuis fort longtemps.
— Cela m'a fait du bien de vous parler, dis-je. Vous avez éclairé mon esprit.
C'était le seul réconfort qu'on pût lui donner: entretenir son illusion.
Il me dit timidement:
— Si vous parveniez à en trouver le temps, nous partirions vraiment du commencement et nous remonterions jusqu'à la racine même des choses: je veux parler des arguments philosophiques et des témoignages historiques.
Je dus faire une réponse évasive, car il continua:
— C'est d'une importance très grande. Nos ennemis ne sont pas à mépriser: ils ont des arguments solides.
— Réellement?
— Mais qui ne sont pas valides, tout y est superficiel et spécieux.
Il me surveillait avec angoisse. Je pense qu'il se demandait si j'étais une de ces passantes qui s'éloignent de l'orateur sur les Allées. Il me sembla qu'il exigeait bien peu lorsqu'il me dit d'une voix tremblante:
— Une heure par semaine. Cela vous aiderait beaucoup.
« N'ai-je pas tout mon temps libre désormais, pensai-je? Je lis un livre, je vais au cinéma, et je ne suis capable ni de suivre les mots, ni de me rappeler les

images. Ma propre personne et ma propre misère emplissent le bruit de mon oreille et me brouillent les yeux. Pendant un instant, cet après-midi, je les ai oubliées. »

— Oui, répondis-je, je viendrai. Vous êtes très bon de me consacrer une partie de votre temps.

Je rassemblai à la pelle et je jetai sur ses genoux tout l'espoir dont j'étais encore capable, en adressant cette prière au Dieu dont il se promettait de me guérir : « Faites que je lui sois utile. »

2 octobre 1945.

Il a fait très chaud aujourd'hui et tout ruisselait de pluie. Aussi suis-je entrée dans l'église obscure qui est au coin de Park Road pour m'asseoir un instant. Henry était à la maison et je n'avais pas envie de le voir. J'essaie de me rappeler d'être bonne pour lui au petit déjeuner, bonne au déjeuner, lorsqu'il est à la maison, bonne au dîner, mais j'oublie quelquefois et alors c'est lui qui est bon pour moi. Deux personnes se font des amabilités l'une à l'autre toute une vie. Quand je fus assise dans l'église et que je regardai autour de moi, je compris que c'était une église catholique romaine, pleine de statues de plâtre et d'art médiocre, d'art réaliste. Je déteste les statues, les crucifix, leur façon d'attirer l'attention sur le corps humain. Moi qui fais tant d'efforts pour oublier le corps humain et ses besoins ! J'eus le sentiment que je pourrais croire à une sorte de Dieu sans aucun rapport avec nous-mêmes, une matière fluide, amorphe, cosmique envers quoi je m'étais engagée à faire quelque chose et qui m'avait donné quelque chose en échange; émanant du vague pour entrer dans la vie concrète des hommes, comme une vapeur puissante suspendue et glissant entre les chaises et les murs. Un jour, je deviendrais, moi aussi, partie de cette vapeur et je m'évaderais hors de moi-même à jamais. Mais voilà qu'en entrant dans cette église obscure de Park Road, j'aperçus autour de moi des corps debout sur tous les autels, de hideuses statues de plâtre aux visages béats; je me rappelai alors que ces gens croient à la résurrection du corps, de ce corps que je voudrais voir détruire irrémédiablement. J'ai fait tant de mal avec ce corps. Comment pourrais-je souhaiter en conserver la moindre parcelle pour l'éternité; je me rappelai soudain un propos de Richard disant que les humains inventent des doctrines pour la satisfaction de leurs propres désirs et je pensai: « Comme il a tort. » Si je devais inventer une doctrine, ce serait pour affirmer que le corps ne renaît pas, qu'il pourrit avec tous les vers qui passent. C'est étrange comme l'esprit humain oscille, et fait le va-et-vient d'un extrême à l'autre. La vérité gît-elle sur un point précis de la trajectoire, un point où le pendule ne s'arrête jamais, et non sur la banale ligne médiane où il hésite avant de s'immobiliser comme un drapeau flasque, dans l'air calme, sur un point angulaire plus rapproché d'un extrême que de l'autre? Si seulement un miracle pouvait arrêter le pendule à un angle de soixante degrés, l'on n'hésiterait pas à croire que la vérité est là. Eh bien! le pendule se balançait aujourd'hui, et au lieu de penser à mon corps, j'évoquais celui de Maurice. Je pensais à certaines lignes que la vie a tracées sur son visage et qui sont aussi personnelles qu'une ligne de son écriture; je pensais à une cicatrice récente sur son épaule, une marque qui n'aurait pas été là s'il n'avait essayé de protéger contre la chute d'un mur le corps d'un autre homme. Il ne m'avait pas dit pourquoi il était resté trois jours à l'hôpital: je l'avais su par Henry. Cette cicatrice fait, autant que sa jalousie, partie de son caractère. Alors, pensai-je, ai-je vraiment le désir que ce corps devienne vapeur (le mien, oui, mais le sien?), et je savais que je souhaitais voir cette cicatrice continuer d'exister pendant l'éternité. Mais ma vapeur pourrait-elle aimer cette cicatrice? Et je me mis à désirer garder mon corps que j'exécrais, simplement parce que mon corps pouvait aimer cette cicatrice. Nous pouvons aimer avec notre esprit, mais ne pouvons-nous aimer qu'avec notre esprit? L'amour s'étend et grandit sans cesse, de sorte que nos ongles insensibles sont eux-mêmes capables d'aimer: nous pouvons nous aimer à travers nos vêtements et une manche peut sentir le contact d'une autre manche.

Richard a raison, pensai-je, nous avons inventé la résurrection des corps à cause du grand besoin que nous avons de notre corps; je reconnus immédiatement qu'il avait raison, que c'est un conte de fées que nous nous racontons les uns aux autres en manière de réconfort, et je cessai de haïr les statues. Elles ressemblaient à de mauvaises illustrations en couleurs des contes d'Andersen; elles ressemblaient à de la mauvaise poésie, mais que quelqu'un avait éprouvé le besoin d'écrire, quelqu'un qui n'avait pas eu l'orgueil de les cacher plutôt que d'exposer sa niaiserie. Je remontai l'allée centrale, en les regardant l'une après l'autre; devant la plus hideuse (je ne sais pas qui elle représentait), un homme plus très jeune était en prière. Il avait posé à côté de lui son chapeau melon, et dans ce chapeau il y avait des branches de céleri enveloppées dans un morceau de journal.

Et, bien entendu, sur l'autel il y avait aussi un corps, ce corps que je connais si bien, mieux encore que celui de Maurice, si bien que je n'ai jamais pensé qu'il possédait toutes les parties d'un corps, même les parties que cache le linge drapé autour des hanches. Je m'en rappelais un, dans une église espagnole que j'avais visitée avec Henry, sur lequel un sang de peinture rouge coulait des yeux et des mains. J'en avais eu la nausée. Henry voulait me faire admirer les chapiteaux du XIIe siècle, mais j'avais mal au cœur et il avait fallu que je sorte pour respirer de l'air pur. Je pensais: ces gens aiment la cruauté. Une vapeur ne vous bouleverse pas par du sang et par des cris.

Quand je retrouvai Henry sur la plaza, je lui dis:

— Je ne peux pas supporter toutes ces blessures peintes.

Henry fut très raisonnable, il est toujours raisonnable, et il me répondit:

— Naturellement, leur foi est d'un grand matérialisme. Toute cette magie...

— La magie est-elle matérialiste? demandai-je.

— Oh oui! « Œil de lézard, orteil de grenouille, doigt d'enfant étranglé à la naissance... »[1] Tu ne peux

---

[1] *Macbeth* (Shakespeare), scène des sorcières.

rien trouver de plus matérialiste. Dans la messe, ils croient à la transsubstantiation.

Je le savais, mais j'avais l'impression que tout cela avait plus ou moins disparu au moment de la Réforme, sauf pour les pauvres gens, bien entendu. Henry corrigea mes connaissances (combien de fois Henry a-t-il mis de l'ordre dans le fatras de mes pensées!) :

— Le matérialisme n'est pas seulement une attitude destinée aux pauvres, dit-il; certains des esprits les plus distingués ont été matérialistes: Pascal, Newman. Si subtils sur certains points, si grossièrement superstitieux sur d'autres. Un jour, nous saurons sans doute pourquoi: cela leur vient peut-être d'une déficience glandulaire.

C'est ainsi qu'aujourd'hui, en regardant ce corps matériel sur cette croix matérielle, je me demandais comment le monde aurait pu y clouer une vapeur. Une vapeur ne ressent naturellement ni douleur, ni plaisir. C'est ma superstition seule qui imaginait que cette vapeur pouvait répondre à mes prières. « Mon Dieu », avais-je dit: j'aurais dû dire: « Ma Nuée. » J'avais dit: « Je vous déteste », mais peut-on détester un nuage? Je pourrais détester cette image sur la Croix et ses prétentions à ma reconnaissance. « J'ai souffert ceci pour vous », mais une nuée... Et cependant Richard croyait à moins encore qu'une vapeur. Il haïssait la fable, se battait contre la fable, il prenait la fable au sérieux. Il me serait impossible de haïr Hansel et Gretel, et leur maison de sucre de la même façon qu'il hait la légende du Ciel. Quand j'étais enfant, je détestais la méchante reine de Blanche-Neige, mais Richard n'a pas de haine pour le Diable de son conte de fées. Le

Diable n'existe pas, Dieu n'existe pas, mais toute sa haine est pour les bons personnages de la féerie, il n'en garde pas pour les mauvais. Pourquoi ? Je levai les yeux vers ce corps trop bien connu, qui s'étire sous l'effet d'une souffrance imaginaire, la tête inclinée comme celle d'un homme endormi. Je pensai : « J'ai parfois haï Maurice, mais l'aurais-je haï si je ne l'avais pas aimé en même temps ? Oh ! Dieu, si je pouvais vraiment vous haïr, qu'est-ce que cela voudrait dire ? »

Suis-je matérialiste, après tout ? me demandai-je. Suis-je atteinte de quelque déficience glandulaire, pour m'intéresser si peu aux choses et aux causes réellement importantes et exemptes de superstition comme le Comité des œuvres d'assistance, l'indice de vie, et l'augmentation du nombre des calories nécessaires à la classe ouvrière ? Suis-je matérialiste parce que je crois à l'existence indépendante de cet homme, propriétaire du chapeau melon, du métal de cette croix, et de ces mains que je ne puis parvenir à joindre pour prier ? En supposant que Dieu existe, en supposant qu'il soit un corps semblable à celui-ci, quel mal y a-t-il à croire que ce corps existe comme le mien existe ? Pourrait-on l'aimer ou le haïr s'il n'avait pas de corps ? Je ne pourrais aimer une vapeur qui serait Maurice. C'est grossier, bestial et matérialiste, je le sais, mais pourquoi ne serais-je pas grossière, bestiale et matérialiste ? Je suis sortie de l'église en frémissant de colère et pour mettre au défi Henry, et avec lui tous les gens raisonnables et détachés, j'ai fait ce que j'avais vu faire dans les églises espagnoles : j'ai trempé mon doigt dans l'eau prétendue bénite et j'ai tracé sur mon front une espèce de croix.

CHAPITRE VI

10 janvier 1946.

Je ne pouvais supporter de rester à la maison ce soir, et je suis allée me promener sous la pluie. Je me suis rappelé le moment où je m'étais enfoncé les ongles dans la paume des mains: je ne le savais pas, mais Vous palpitiez dans cette douleur. J'ai dit: « Faites qu'il soit vivant », sans croire en Vous, et mon incroyance n'a rien changé à Vos yeux. Vous avez admis cette incroyance jusque dans Votre amour et l'avez acceptée comme une offrande. Ce soir, la pluie traversait mon manteau, mes vêtements et me transperçait jusqu'à la peau, je grelottais de froid et, pour la première fois, il me semblait que j'étais sur le point de Vous aimer. J'ai marché sous Vos fenêtres, dans cette averse et j'aurais voulu y marcher toute la nuit, rien que pour montrer qu'après tout je pouvais apprendre à aimer et que désormais je n'avais plus peur du désert, puisque Vous êtes là. Je suis rentrée à la maison et j'y ai trouvé Maurice avec Henry. C'est la seconde fois que Vous me l'avez rendu: la première fois, je Vous ai haï de l'avoir fait et Vous avez fait entrer ma haine, comme vous aviez fait entrer mon incroyance, dans Votre amour, pour les y conserver et me les montrer plus tard, afin que nous puissions en rire ensemble tous les deux... comme j'ai souvent ri avec Maurice, en lui disant : « Tu te rappelles comme nous étions bêtes... »

CHAPITRE VII

18 janvier 1946.

J'ai déjeuné avec Maurice pour la première fois depuis deux ans. Je lui avais téléphoné pour lui demander un rendez-vous, et mon autobus a été arrêté par un embouteillage à Stockwell, de sorte que j'étais en retard de dix minutes. J'ai eu pendant un moment la crainte que j'éprouvais toujours autrefois, la crainte que quelque chose vienne gâter cette journée: que Maurice soit irrité contre moi. Mais je n'avais plus le désir d'être la première à montrer mon irritation. Comme bien d'autres choses, le pouvoir de me mettre en colère est mort en moi. Je voulais voir Maurice et lui parler d'Henry. Henry est bizarre depuis quelque temps. C'est étrange de sa part d'être allé boire dans un café avec Maurice. Henry ne boit que chez lui ou à son cercle. Je pensai qu'il s'était peut-être confié à Maurice. Ce serait étrange qu'il s'inquiète de moi. Il n'a jamais eu moins de causes d'inquiétude depuis notre mariage. Mais quand j'étais avec Maurice, il ne semblait pas y avoir d'autre raison d'être avec lui que celle d'être avec lui. Je n'ai rien découvert concernant Henry. De temps à autre, il essayait de me faire mal et il y réussissait, parce qu'en réalité c'est à lui-même qu'il faisait mal et que je ne peux pas supporter de le voir se tourmenter.

Ai-je failli à cette vieille promesse en déjeunant avec Maurice? Il y a un an, j'aurais dit oui, mais maintenant je ne le crois pas. J'étais très catégorique à cette époque, parce que j'avais peur, parce que je ne savais pas de quoi il s'agissait, parce que je ne m'en remettais pas à l'amour. Nous avons déjeuné chez Rule; j'étais heureuse du seul fait d'être avec lui. Un court instant, j'ai été désolée, c'est quand nous nous sommes dit au revoir sur la grille. J'ai cru qu'il allait m'embrasser de nouveau, et j'en avais grande envie, mais j'ai été prise d'une quinte de toux et le moment a passé. Je savais qu'en s'éloignant de moi il était en train de penser à toutes sortes de choses inexactes qui le meurtrissaient et j'avais mal parce qu'il avait mal.

J'avais envie de pleurer sans qu'on me voie, alors je suis entrée dans la National Portrait Gallery mais c'était un jour de visite d'étudiants et il y avait trop de monde. Je suis donc revenue à Maiden Lane, dans l'église qui est toujours trop sombre pour qu'on y distingue les traits de son voisin. Je m'y suis assise. L'église était vide; il n'y avait que moi et un petit homme qui est entré et s'est mis à prier tranquillement sur un banc du fond. Je me rappelai la première fois que j'avais pénétré dans une de ces églises et combien j'avais détesté cela. Je ne priais pas. J'avais prié une fois de trop. Je m'adressai à Dieu comme je me serais adressée à mon père si j'avais pu me rappeler en avoir jamais eu un, et je lui dis: « Mon Dieu, je suis très lasse. »

3 février 1946.

Aujourd'hui, j'ai vu Maurice, mais il ne m'a pas vue. Il se dirigeait vers les Armes-de-Pontefract et je l'ai suivi de loin. Je venais de passer une heure chez les Smythe, une heure interminable, à essayer de suivre les arguments de ce pauvre Richard sans parvenir à en tirer autre chose qu'un sentiment de croyance inverse. Comment peut-on discuter autant, avec un aussi grand sérieux, au sujet d'une simple légende ? Quand, par hasard, je comprenais quelque chose, il s'agissait d'un fait étrange que j'ignorais et qui ne me semblait pas appuyer sa thèse. Comme la certitude qu'il a existé un homme nommé Christ. J'en suis sortie avec une sensation de fatigue et de découragement. J'étais allée vers lui pour me débarrasser d'une superstition, mais chaque fois que je le vois, son fanatisme fait pénétrer ma superstition plus profondément en moi. Je l'aide, mais lui ne m'est d'aucun secours. A moins qu'il ne m'aide au contraire ? Pendant une heure, j'avais à peine pensé à Maurice quand tout à coup je le vis qui traversait, au bout de la rue.

Je le suivis jusqu'au bout, sans le quitter des yeux. Tant de fois nous étions allés ensemble aux Armes-de-Pontefract. Je savais dans quelle partie du bar il s'installerait, ce qu'il boirait. Je me demandai si j'allais y entrer derrière lui ; je commanderais ma propre consommation, je le verrais se retourner et tout recommencerait. Les matins seraient de nouveau pleins d'espoir parce que, sitôt Henry parti, je lui téléphonerais, et il y aurait l'heureuse attente des soirées, lorsque

Henry m'avertirait qu'il allait rentrer tard. Peut-être même cette fois-ci quitterais-je Henry. J'avais fait tout mon possible. Je n'avais pas d'argent à apporter à Maurice et ses livres parviennent tout juste à le faire vivre, mais rien que sur la dactylographie de ses manuscrits, nous pourrions économiser par mon travail cinquante livres par an. Je n'ai pas peur de la pauvreté. Il est parfois plus facile de « tailler son vêtement dans ce qu'on a d'étoffe » que de « se coucher comme on a fait son lit ».

Je restai devant la porte et je le regardai monter vers le comptoir. « S'il se retourne et me voit, ai-je dit à Dieu, j'entrerai », mais il ne s'est pas retourné. J'ai repris le chemin de ma maison sans pouvoir chasser Maurice de mon esprit. Pendant près de deux ans, nous avions vécu comme des étrangers. J'avais ignoré ce qu'il faisait à une heure précise du jour, mais aujourd'hui, il n'était plus un étranger puisque je savais, comme autrefois, ou il se trouvait. Il allait boire un second verre de bière, puis il regagnerait sa chambre que je connaissais si bien et se remettrait à écrire. Ses habitudes quotidiennes étaient toujours les mêmes, et je les aimais comme on aime un vieux manteau. Je me sentais protégée par ses habitudes. Je ne suis jamais attirée par l'inconnu.

Et je pensais: « Quelle joie je puis lui donner et si facilement! » Le désir me reprit de le voir rire de bonheur. Henry était absent. Il avait déjeuné en ville et m'avait téléphoné qu'il ne rentrerait qu'à sept heures. J'allais attendre jusqu'à six heures et demie et puis je téléphonerais à Maurice. Je lui dirais: « Je viens pour toute la nuit et pour toutes les autres nuits. Je suis lasse de vivre sans vous. » J'emplirais la grande valise bleue et la petite marron. J'emporterais assez de vêtements pour un mois de vacances. Henry est civilisé: au bout d'un mois, les questions juridiques seraient réglées et l'amertume du moment serait passée; alors je pourrais tranquillement envoyer chercher tous les autres objets nécessaires que j'aurais laissés à la maison. Il n'aurait pas beaucoup d'amertume. Ce n'est pas comme si nous étions encore des amants. D'époux, nous étions devenus amis, et au bout d'un peu de temps cette amitié pourrait se poursuivre comme avant.

Je me sentis tout à coup libre et heureuse. « Je ne vais plus me tourmenter à votre sujet, dis-je à Dieu en traversant les Allées; soit que vous existiez ou que vous n'existiez pas, soit que vous ayez accordé à Maurice une seconde chance ou soit que j'aie tout imaginé. Peut-être ceci est-il justement la seconde chance que je demandais pour lui. Je vais le rendre heureux: voici mon deuxième serment, Dieu; arrêtez-moi si vous pouvez, arrêtez-moi si vous pouvez. »

Je montai dans ma chambre et commençai une lettre pour Henry: *Henry chéri*, écrivis-je, mais cela me parut très hypocrite. Chéri était un mensonge, aussi dus-je employer la formule réservée aux gens de connaissance: cher Henry. J'écrivis donc:

Cher Henry, j'ai peur que ceci soit un coup brutal pour toi, mais depuis cinq ans je suis amoureuse de Maurice Bendrix. Voilà près de deux ans que nous ne nous voyons plus, que nous ne nous écrivons même pas, mais sans aucun résultat. Je ne peux pas vivre heureuse loin de lui, c'est pourquoi je suis partie. Je sais que depuis longtemps je ne suis plus une très bonne épouse, et j'ai cessé d'être la maîtresse de qui que ce soit en juin 1944 de sorte que cette situation n'est satisfaisante pour personne. J'avais pensé un moment que j'allais m'offrir cette aventure amoureuse et qu'elle passerait d'elle-même graduellement et sans heurts, mais les choses n'ont pas marché comme cela du tout. J'aime Maurice plus que je ne l'aimais en 1939. J'ai été sotte, sans doute, mais je comprends maintenant que tôt ou tard, il faut choisir, sous peine de causer un affreux gâchis de tous les côtés. Au revoir, Henry, Dieu te bénisse.

Je biffai énergiquement le *Dieu te bénisse* jusqu'à ce qu'il fût devenu tout à fait illisible. Ça avait l'air trop condescendant, et d'ailleurs Henry ne croit pas en Dieu. Alors, j'aurais voulu mettre: *Tendrement*, mais le mot ne me parut pas être de circonstance, bien qu'il soit sincère: j'aime tendrement Henry à ma façon médiocre.

Je mis la lettre dans une enveloppe et y ajoutai l'indication *Absolument personnel*. C'était pour avertir Henry qu'il fallait l'ouvrir lorsqu'il serait seul; il se pouvait qu'il ramène un ami à la maison et je ne voulais pas que son orgueil fût blessé. Je sortis la valise et me mis à emballer; puis soudain je pensai: « Où ai-je mis la lettre? » Je la retrouvai tout de suite. « Mais, pensai-je, supposons que dans ma précipitation j'oublie de la mettre dans le vestibule et qu'Henry attende, attende mon retour. » Je descendis donc et la posai sur la table de l'entrée. Ma valise était presque finie, encore une robe du soir à plier, et Henry ne devait pas rentrer avant une demi-heure.

Je venais de poser ma lettre sur la table du vestibule, avec le courrier de l'après-midi, quand j'ai entendu une clef tourner dans la serrure. J'ai repris vivement la lettre, je ne sais pourquoi, et Henry a surgi. Il avait l'air malade et recru de fatigue. Il a dit: « Oh ! tu es là », et passant à côté de moi, il est entré dans son bureau.

J'ai attendu un moment et je l'y ai suivi. Je me disais : « Maintenant, je vais être forcée de lui donner la lettre moi-même et il va me falloir beaucoup plus de courage. » En ouvrant la porte, je le vis assis dans son fauteuil, près du feu qu'il n'avait pas pris la peine d'allumer : il pleurait.

— Qu'y a-t-il, Henry ? demandai-je.
— Rien. J'ai un fort mal de tête, c'est tout.
Je lui allumai du feu.
— Je vais te chercher de la véganine, dis-je.
— Ne te dérange pas. Cela va déjà mieux.
— Quelle journée as-tu passée ?
— Oh ! comme d'habitude. Un peu fatigante.
— Avec qui as-tu déjeuné ?
— Bendrix.
— Bendrix ?
— Pourquoi pas Bendrix ? Il m'a offert à déjeuner à son cercle. Un repas atroce.

Je passai derrière lui et lui posai la main sur le front. C'était de ma part un geste étrange, juste avant de le quitter pour toujours. Il me faisait la même chose

au début de notre mariage quand j'avais de terribles maux de tête, parce que rien n'allait comme il fallait. J'oubliai pendant un moment que je faisais alors semblant d'être guérie de cette manière. Henry leva la main et appuya la mienne très fort contre son front.
— Je t'aime, dit-il, le sais-tu ?
— Oui, répondis-je.
J'étais près de le haïr pour me l'avoir dit: c'était comme s'il faisait valoir ses droits. « Si tu m'aimais vraiment, pensai-je, tu te conduirais comme tout autre mari offensé. Tu te mettrais en colère et ta colère me libérerait. »
— Je ne peux pas me passer de toi, dit-il.
« Oh! mais si, tu le peux, ai-je failli protester. Ce serait incommode, mais tu y arriverais. Un jour, tu as changé de journal et tu t'es vite habitué au nouveau. Ce ne sont que des mots, des mots de convention dits par un époux de convention, qui ne signifient rien du tout. » Et puis, j'aperçus sa figure dans la glace et je vis qu'il pleurait encore.
— Henry, dis-je, qu'est-ce qui ne va pas ?
— Rien, je te l'ai dit.
— Je ne te crois pas. S'est-il passé quelque chose à ton bureau ?
— Que pourrait-il se passer là ? dit-il avec une amertume inaccoutumée.
— Est-ce Bendrix qui t'a bouleversé ainsi ?
— Bien sûr que non. Comment le pourrait-il ?
J'aurais voulu dégager ma main, mais il la retenait. J'avais peur de ce qu'il allait dire ensuite, du fardeau insupportable dont il chargeait ma conscience. Mau-

rice devait être rentré chez lui; si Henry n'était pas arrivé, j'aurais été auprès de lui dans cinq minutes. J'aurais eu devant les yeux du bonheur non de la désolation. Quand on ne voit pas la désolation, on n'y croit pas. On ne peut pas faire de la peine, de loin.

— Ma chérie, dit Henry, j'ai été un piètre mari.

— Je ne sais pas ce que tu veux dire.

— Tu t'ennuies avec moi. Mes amis sont ennuyeux, Nous ne... tu sais ce que je veux dire, nous ne faisons plus rien ensemble.

— Il faut bien que ça s'arrête un jour, dis-je. Dans tous les ménages. Nous sommes de bons amis.

C'était mon moyen d'évasion. Il allait dire: oui, et je lui remettrais ma lettre, je lui expliquerais ce que j'allais faire et je sortirais tranquillement de la maison.

Mais Henry ne m'a pas donné la bonne réplique, et je suis encore là et la porte s'est refermée entre Maurice et moi. Seulement cette fois-ci je ne puis en accuser Dieu. J'ai fermé la porte moi-même.

— Je ne pourrai jamais te considérer comme une amie, dit Henry. On peut se passer d'une amie (et nos yeux se sont croisés dans le miroir). Ne me quitte pas, Sarah. Supporte-moi encore quelques années. Je vais essayer...

Mais lui-même n'a pas pu imaginer ce qu'il allait essayer de faire.

Oh! il aurait mieux valu pour nous deux que je l'aie quitté voilà des années, mais je ne saurais le frapper maintenant, là où il est, et il y sera toujours parce que désormais je connais le visage de son désespoir.

— Je ne te quitterai jamais, dis-je. C'est promis.

Une autre promesse à tenir, et tout en la faisant je ne pouvais déjà plus supporter d'être avec lui. Maurice avait perdu, Henry avait gagné et sa victoire me le rendait haïssable. Aurais-je haï Maurice s'il avait gagné? Je montai dans ma chambre et déchirai ma lettre en si petits morceaux que personne ne pourrait la reconstituer, et j'envoyai d'un coup de pied la valise sous mon lit, parce que j'étais trop fatiguée pour la vider. Ensuite, je me suis mise à écrire ceci. Maurice fait entrer sa souffrance dans ses œuvres: on sent vibrer ses nerfs à travers ses phrases. Eh bien! si la souffrance peut faire un écrivain, j'apprends, moi aussi, Maurice. Je voudrais pouvoir vous parler, une fois seulement. Je ne peux pas parler à Henry, je ne peux parler à personne. Mon Dieu, faites que je puisse parler.

Hier j'ai acheté un crucifix, un crucifix bon marché, affreux, parce que j'ai dû faire vite. J'ai rougi en le demandant. Ces boutiques devraient avoir des vitrines en verre dépoli comme les marchands d'objets de caoutchouc. Je fermerai à clef la porte de ma chambre et je le sortirai du fond de mon coffret à bijoux. Comme je voudrais connaître une prière qui ne fût pas: moi, moi, moi. Aidez-*moi.* Donnez-*moi* le bonheur. Permettez-*moi* de mourir vite. Moi, moi, moi.

Faites que je pense aux taches sur la joue de Richard. Faites que je voie le visage d'Henry où coulent des larmes. Faites que je m'oublie. Mon Dieu, j'ai essayé d'aimer et voyez à quel horrible gâchis je suis parvenue. Si je pouvais vous aimer, je saurais comment les aimer, eux. Je crois à la légende. Je crois que vous êtes né. Je crois que vous êtes mort pour nous. Je crois que vous êtes Dieu. Enseignez-moi à aimer. Peu importe ma souffrance. C'est leur souffrance que je ne puis supporter. Que ma souffrance dure à jamais, mais faites que la leur prenne fin. Mon Dieu, si seulement vous pouviez descendre un peu de votre Croix et m'y laisser monter à votre place. Si je pouvais souffrir comme vous, j'aurais, ainsi que vous, le don de guérir les autres.

4 février 1946.

Henry a pris un jour de congé, je ne sais pas pourquoi. Il m'a emmenée déjeuner au restaurant, nous sommes allés à la National Gallery, nous avons dîné de bonne heure et nous avons passé la soirée au théâtre. Il avait l'air d'un père qui est venu chercher son enfant à l'école pour le faire sortir. Seulement, c'est lui qui est l'enfant.

5 février 1946.

Henry fait des plans pour que nous passions des vacances à l'étranger le printemps prochain. Il hésite entre les châteaux de la Loire et l'Allemagne où il pourrait faire un rapport sur le moral des Allemands sous les bombardements. Je ne veux pas que le printemps revienne. Voilà que je recommence. Je veux, je ne veux pas. Si je pouvais Vous aimer, je pourrais aimer Henry. Dieu s'est fait homme. Il est Henry avec son astigmatisme, Richard avec ses taches, et pas seulement Maurice. Si je pouvais aimer les plaies d'un lépreux, ne pourrais-je pas aimer l'ennui que répand Henry ? Mais je suppose que si le lépreux était ici, je me détournerais de ses plaies de même que je m'isole dans la maison d'Henry. J'ai toujours besoin de drame. Je m'imagine que je suis prête à subir la torture de vos clous et je ne suis pas capable de résister à vingt-quatre heures de cartes et de guides Michelin. Mon Dieu, je ne sers à rien. Je suis toujours la même garce, le même fantoche. Balayez-moi hors du chemin.

6 février 1946.

Aujourd'hui j'ai eu une scène terrible avec Richard. Il me parlait des contradictions dans les Eglises chrétiennes et j'essayais d'écouter, mais je n'y parvenais pas très bien et il s'en est aperçu. Il m'a dit brusquement :

— Pourquoi venez-vous ici ?

Et cette réponse m'a échappé :

— Pour vous voir.

— Je croyais que vous veniez pour vous instruire, m'a-t-il dit.

Alors, j'ai expliqué :

— C'est ce que je voulais dire.

Je savais qu'il ne me croyait pas et je pensais que son orgueil en serait blessé, et qu'il se fâcherait, mais il n'était pas du tout fâché. Il a quitté son fauteuil de cretonne et il est venu s'asseoir près de moi sur le sofa de cretonne, du côté où sa joue rouge m'était cachée.

— Ç'a été très important pour moi de vous voir toutes les semaines, m'a-t-il dit.
Et j'ai compris qu'il allait me faire une déclaration d'amour. Il a mis la main sur mon poignet et m'a demandé :
— Avez-vous de l'affection pour moi ?
— Mais oui, Richard, bien entendu, autrement je ne serais pas ici.
— Voulez-vous m'épouser ?
Et son orgueil le fit poser cette question sur le ton qu'il aurait pris pour me demander : « Voulez-vous une seconde tasse de thé ? »
— Henry pourrait y voir quelque inconvénient, dis-je, en essayant de traiter le propos en plaisanterie.
— Rien ne vous ferait-il donc quitter Henry ?
Et je pensai avec colère : « Si je ne l'ai pas quitté pour Maurice pourquoi diable aller supposer que je le quitterais pour vous. »
— Je suis mariée.
— Ce qui ne signifie rien, ni pour vous, ni pour moi.
— Oh ! mais si, mais si. (Il aurait bien fallu que je lui dise un jour.) Je crois en Dieu, lui dis-je, et à tout ce qui s'ensuit. C'est vous qui m'avez appris à croire. Vous et Maurice.
— Je ne comprends pas.
— Vous m'avez toujours dit que les prêtres vous avaient fait perdre la foi. Eh bien ! la même influence peut agir de la même manière, à rebours.
Il regardait ses belles mains : il lui restait cela. Il dit très lentement :

— Ce que vous croyez m'importe peu. Pour tout ce que cela me fait, vous pouvez croire à ces jongleries. Je vous aime, Sarah.
— Je le regrette, dis-je.
— Je vous aime plus que je ne hais tout le reste. Si j'avais des enfants de vous, je vous les laisserais pervertir.
— Vous ne devriez pas parler de la sorte.
— Je ne suis pas riche. Je ne puis offrir pour vous soudoyer que cette monnaie: l'abandon de mes convictions.
— J'aime un autre homme, Richard.
— Vous ne l'aimez guère si vous vous sentez liée par cet absurde serment.
— J'ai fait de mon mieux pour le rompre, dis-je avec lassitude, mais je n'y suis pas arrivée.
— Croyez-vous que je sois idiot?
— Pourquoi?
— D'espérer que vous pourriez aimer un homme affligé de ça. (Il tourna vers moi sa joue laide). Vous croyez en Dieu, ajouta-t-il. C'est facile. Vous êtes belle. Vous n'avez à vous plaindre de rien, mais pourquoi aimerais-je un Dieu qui fait ce cadeau à un enfant!
— Mon cher Richard, dis-je, ce n'est pas si terrible...
Je fermai les yeux et je posai mes lèvres sur cette joue. J'eus une courte nausée, car les infirmités me font peur; lui, me laissa l'embrasser sans bouger, et je pensai : « J'ai mis un baiser sur la souffrance, et la souffrance est Vôtre comme le bonheur ne l'est jamais. Je Vous aime dans Vos souffrances. » Il me semblait

sentir sur cette peau le goût du métal et du sel, et je pensai : « Que Vous êtes bon. Vous auriez pu nous tuer de bonheur, et Vous nous permettez d'être avec Vous dans la souffrance. »
Je sentis qu'il s'écartait subitement et j'ouvris les yeux.

— Adieu, dit-il.
— Adieu, Richard.
— Ne revenez plus. Je ne peux pas supporter votre pitié.
— Ce n'est pas de la pitié.
— Je me suis couvert de ridicule.

Je partis. Il n'aurait servi à rien de rester. Je ne pouvais pas lui dire que je l'envie de transporter ainsi sur son visage la marque de la souffrance, de Vous voir tous les jours dans son miroir au lieu d'y voir cette fade chose humaine que nous appelons la beauté.

10 février 1946.

« Je n'ai pas besoin de Vous écrire ou de Vous parler... » J'ai commencé ainsi une lettre pour Vous, voici quelque temps, mais j'ai eu honte de moi et je l'ai déchirée parce que cela semblait tellement stupide de Vous écrire, à Vous qui savez tout avant même que la pensée en parvienne à mon esprit. Ai-je jamais aimé autant Maurice avant de Vous aimer ! Ou bien, était-ce en réalité Vous que j'aimais déjà ? Vous ai-je tenu entre mes mains quand je posais sur lui mes doigts ? Pourrais-je Vous tenir entre mes mains si je n'avais posé sur lui mes doigts comme je ne les ai posés sur personne, pas même Henry ? Et Maurice m'a aimée, et il m'a caressée comme jamais il ne l'a fait d'une autre femme. Mais était-ce moi qu'il aimait ou Vous ? Car il détestait en moi ce que Vous détestez. Il était tout le temps de Votre côté sans le savoir. Vous avez voulu notre séparation, mais il l'a voulue aussi. Il y a travaillé avec sa colère et sa jalousie et il y a travaillé avec son amour. Car il m'a donné tant d'amour et je lui en ai tant donné que très vite nous sommes arrivés au fond, et il ne nous restait plus rien à la fin que Vous. A lui comme à moi. J'aurais pu passer toute ma vie à épuiser mon amour, bribe par bribe, à le gaspiller çà et là avec tel homme ou tel autre. Mais dès la première fois, dans cet hôtel près de Paddington, nous avons dépensé tout ce que nous possédions. Vous étiez présent et Vous nous enseigniez à dissiper notre trésor comme Vous l'avez enseigné à l'homme riche, afin qu'aujourd'hui rien ne nous reste que cet amour pour Vous. Mais Vous me montrez trop de bonté. Quand je Vous demande la souffrance, Vous me donnez la paix. Donnez-la-lui, à lui aussi. Donnez-lui ma paix. Il en a besoin plus que moi.

12 février 1946.

J'éprouvais, il y a deux jours, une si grande sensation de paix, de calme et d'amour ! La vie allait recommencer à être bonne, mais la nuit passée j'ai rêvé que je montais un long escalier pour rejoindre Maurice. J'étais encore heureuse parce que je savais qu'en haut de ces marches nous allions nous aimer. Je lui criai que j'arrivais, mais la voix qui me répondit n'était pas celle de Maurice, c'était celle d'un inconnu et elle claironnait comme la sirène qui avertit dans le brouillard les navires en détresse. J'avais grand-peur. Je pensais : « Il a loué son logement à quelqu'un, il est parti, je ne sais pas où il est » ; je redescendis l'escalier, et l'eau me montait jusqu'à la ceinture dans le vestibule qui s'était empli d'une brume épaisse. Alors, je me suis éveillée. Je ne suis plus en paix. J'ai envie de lui, exactement comme autrefois. J'ai envie de manger des sandwiches avec lui. J'ai envie de boire avec lui dans un bar. Je suis très fatiguée et je ne veux plus souffrir. Je veux Maurice. Je veux de l'amour humain, ordinaire et corrompu. Mon Dieu, vous savez que je veux aspirer à partager Vos souffrances, mais je ne veux pas les partager tout de suite. Emportez-les pour le moment et donnez-les-moi une autre fois.

LIVRE QUATRIÈME

CHAPITRE PREMIER

Je ne pus en lire davantage. A mainte et mainte reprise, j'avais sauté un passage parce qu'il me faisait trop de mal. J'avais souhaité connaître l'épisode Dunstan, mais je n'aurais pas souhaité en apprendre autant à son sujet, et voilà qu'après avoir lu la suite, cet épisode sombrait dans le passé comme une date historique sans intérêt. Aujourd'hui, il n'avait plus aucune importance. La note où j'en restai ne datait que d'une semaine. « Je veux Maurice. Je veux de l'amour humain, banal et corrompu. »

Je ne puis t'en donner d'autre, Sarah, pensai-je. Je ne connais pas d'autre façon d'aimer, mais si tu crois que j'ai épuisé cet amour-là tout entier, tu te trompes. Il m'en reste assez pour nos deux vies; et j'évoquai le jour où elle avait fait sa valise, tandis que je travaillais, ici même, sans me douter que le bonheur était si près de moi. J'étais heureux de ne pas l'avoir su et j'étais heureux de le savoir. Maintenant, je pouvais agir. Dunstan n'avait pas d'importance. Le chef d'îlot n'avait pas d'importance. Je pris le téléphone et je composai son numéro.

La bonne me répondit.

— Ici, Mr Bendrix, dis-je. Je voudrais parler à Mrs Miles.

Elle me demanda de ne pas quitter. J'étais aussi essoufflé en attendant la voix de Sarah que si j'avais fait une longue course, mais la voix que j'entendis était encore celle de la servante qui me disait que Mrs Miles était sortie. Je ne sais pourquoi je ne la crus pas. J'attendis cinq minutes, puis, mon mouchoir bien tendu sur l'appareil, j'appelai de nouveau.

— Mr Miles est-il là?

— Non, monsieur.

— Alors, pourrais-je parler à Mrs Miles? Ici, sir William Mallock.

Il y eut un très court silence au bout duquel Sarah répondit:

— Bonsoir, sir William. Ici, Mrs Miles.

— Je le sais, dis-je. Je connais votre voix, Sarah.

— Vous... je croyais...

— Sarah, dis-je, je viens vous voir.

— Non, non, je vous en prie. Ecoutez, Maurice, je suis couchée. Je vous parle de mon lit.

— Raison de plus.

— Ne dites pas de bêtises, Maurice. Je suis malade.

— Donc vous avez besoin de me voir. Qu'est-ce qui ne va pas, Sarah?

— Oh! pas grand-chose. Un mauvais rhume. Ecoutez, Maurice... (Elle parlait en mettant un long espace entre chaque mot, à la façon d'une maîtresse d'école, et cela m'irrita.) Je vous en prie, ne venez pas, je ne veux pas vous voir.

— Je vous aime, Sarah, et je viens.

— Je n'y serai pas. Je vais me lever. (Je pensai qu'en courant, il ne me faudrait que quatre minutes pour traverser les Allées; elle n'aurait pas le temps de s'habiller.) Je vais dire à la bonne de ne laisser entrer personne.
— Elle n'a pas la carrure nécessaire pour jeter les gens dehors. Et il faudra me jeter dehors, Sarah.
— Je vous en prie, Maurice. C'est moi qui vous le demande. Il y a si longtemps que je ne vous ai rien demandé.
— Si ce n'est un déjeuner...
— Maurice, je ne me sens pas bien. Je ne peux vraiment pas vous voir aujourd'hui. La semaine prochaine...
— Il s'est écoulé un nombre exagéré de semaines. Je veux vous voir sans plus de délai. Ce soir.
— Pourquoi?
— Parce que vous m'aimez.
— Comment le savez-vous?
— Peu importe. Je veux vous demander de fuir avec moi.
— Mais Maurice, je puis tout aussi bien vous donner ma réponse au téléphone: c'est non.
— Mes mains ne peuvent vous toucher au téléphone, Sarah.
— Maurice, mon chéri, je vous en supplie. Promettez-moi de ne pas venir.
— Je viens.
— Ecoutez, Maurice. Je me sens horriblement fatiguée, et je souffre beaucoup ce soir. Je ne veux pas me lever.

— Restez au lit.
— Je vous jure que je vais me lever, m'habiller et quitter la maison si vous ne me promettez pas...
— Ceci, Sarah, est plus important pour nous deux qu'un simple rhume.
— Je vous en prie, Maurice, je vous en prie. Henry va bientôt rentrer.
— Qu'il rentre.
Je raccrochai.
Le temps était encore plus mauvais que le soir où j'avais rencontré Henry un mois auparavant. Cette fois, au lieu de pluie, c'était du grésil qui tombait, presque de la neige, et je sentais les gouttes acérées se frayer un chemin par les boutonnières de mon imperméable; elles voilaient la lumière des réverbères des Allées, de sorte qu'il était impossible de courir; d'ailleurs, je ne peux pas courir très vite à cause de ma jambe. Je regrettais de n'avoir pas emporté ma lampe électrique du temps de guerre, car je dus mettre environ huit minutes pour atteindre le côté nord. Je descendais du trottoir, et je m'apprêtais à traverser la chaussée lorsque la porte s'ouvrit et Sarah sortit de la maison. Je pensai avec joie: « Maintenant, elle est à moi. » Je savais avec une absolue certitude qu'avant la fin de la nuit, nous aurions de nouveau couché ensemble. Et ce lien une fois rattaché, tout pouvait se produire. Je ne l'avais jamais si bien connue jusque-là et jamais je ne l'avais autant aimée. « Mieux nous connaissons un être, plus nous l'aimons », pensai-je. J'étais revenu dans le territoire de la confiance.

Elle se hâtait beaucoup trop pour me voir traverser

la large chaussée sous les averses de grésil. Elle tourna à gauche et s'éloigna d'un pas rapide. Je pensai: « Il faudra bien qu'elle trouve un endroit où s'asseoir et je la prendrai au piège. » Je la suivis à vingt mètres en arrière, mais elle ne se retourna pas une seule fois. Elle longea les Allées et dépassa le bassin, puis la librairie bombardée, comme si elle se dirigeait vers le métro. Bon, si c'était nécessaire j'étais prêt à lui parler même dans un train bondé de voyageurs. Elle descendit l'escalier du métro et marcha jusqu'au guichet, mais elle n'avait pas pris son sac et je la vis fouiller dans ses poches, sans y trouver de menue monnaie, même pas les quelques sous qui lui auraient permis de faire le va-et-vient jusqu'à minuit. Elle remonta l'escalier et traversa la large rue où circulent les tramways. Un monde avait cessé de tourner, mais un autre venait visiblement de le remplacer. J'avais triomphé. Elle avait peur, mais ce n'était pas de moi qu'elle avait peur, c'était d'elle-même et de ce qui allait se passer quand nous nous rencontrerions. Je sentais que j'avais déjà gagné la partie, aussi pouvais-je me permettre le luxe d'éprouver une certaine pitié pour ma victime. Je brûlais de lui dire: « Ne crains rien, il n'y a rien à craindre, nous allons bientôt être heureux tous les deux, le cauchemar est tout près de se terminer. »

Alors, je la perdis. J'avais été trop confiant et lui avais laissé prendre trop d'avance. Elle avait traversé la route à vingt pas devant moi (j'avais été une fois encore retardé par ma jambe malade en montant l'escalier), un tramway nous sépara, quand il fut passé, elle avait disparu. Elle avait pu tourner à gauche et descendre la High-Street ou continuer tout droit et suivre Park Road, en tout cas, je ne la voyais plus. Je n'étais pas très inquiet. Si je ne la trouvais pas aujourd'hui, je la trouverais demain. Je connaissais d'un bout à l'autre l'absurde histoire de la promesse donnée, j'étais désormais sûr de son amour, elle ne pouvait pas m'échapper. Quand un homme et une femme s'aiment, ils couchent ensemble: c'est une formule mathématique démontrée et prouvée par l'expérience humaine.

Il y avait un restaurant ABC dans la rue et j'y entrai: Sarah n'y était pas. Je me souvins alors de l'église qui fait le coin de Park Road et j'eus aussitôt la certitude qu'elle était là. Je l'y suivis. En effet, je la vis, assise dans l'un des bas-côtés, près d'un pilier et d'une hideuse statue de la Vierge. Elle ne priait pas. Elle était simplement assise, les yeux fermés. Je ne l'apercevais qu'à la lueur des cierges qui brûlaient devant la statue, car l'église était très sombre. Je me plaçai derrière elle comme l'avait fait Mr Parkis et j'attendis. Je me sentais capable d'attendre des années, maintenant que je connaissais la fin de l'histoire. J'étais gelé, trempé par la pluie, et tout à fait heureux. Je pouvais même regarder avec charité du côté de l'autel où un corps est suspendu. « Elle nous aime tous les deux, pensai-je, mais s'il doit surgir un conflit entre une image et un homme, je sais qui en sortira vainqueur. Je peux poser ma main sur la cuisse de Sarah ou ma bouche sur ses seins; lui, est emprisonné derrière l'autel et ne peut pas bouger pour venir plaider sa cause. »

Tout à coup, elle se mit à tousser, une main pressée

contre son flanc. Je savais qu'elle souffrait et je ne pouvais la laisser souffrir seule. J'allai m'asseoir à côté d'elle et je mis ma main sur son genou tandis qu'elle continuait de tousser. Je pensais: « Si seulement mon attouchement pouvait guérir. » Quand la quinte fut terminée, elle me dit:

— Ne pouvez-vous me laisser tranquille?

— Jamais je ne vous laisserai tranquille.

— Quelle mouche vous pique, Maurice, vous n'étiez pas ainsi l'autre jour pendant le déjeuner.

— J'étais plein d'amertume parce que je ne savais pas que vous m'aimiez.

— Pourquoi pensez-vous maintenant que je vous aime, me demanda-t-elle.

Mais elle laissa ma main reposer sur son genou.

Je lui racontai alors que Mr Parkis avait volé son Journal. Je ne voulais plus de mensonges entre nous.

— Ce n'est pas bien d'avoir fait cela, dit-elle.

— Non.

Elle se mit à tousser et quand ce fut fini, épuisée, elle appuya son épaule contre moi.

— Ma chérie, lui dis-je, tout cela est terminé. Je veux parler de notre attente. Nous allons partir ensemble.

— Non, dit-elle.

Je passai mon bras autour d'elle et lui touchai le sein.

— C'est ici que nous allons tout recommencer, dis-je. J'ai été un mauvais amant, Sarah. Parce que je ne me sentais pas en sécurité. Je n'avais pas confiance en vous. Je ne vous connaissais pas bien. Mais je suis désormais sans inquiétude.

Elle ne répondit pas, mais resta appuyée contre moi et c'était comme un consentement.

— Je vais vous dire, ajoutai-je, ce qui sera le mieux. Vous allez rentrer chez vous et rester couchée pendant deux jours, il ne faut pas voyager avec un rhume comme ça. Je vous téléphonerai tous les jours pour prendre de vos nouvelles. Quand vous serez assez bien, je traverserai les Allées et j'irai vous aider à faire vos valises. Nous ne resterons pas à Londres. J'ai un cousin qui est propriétaire dans le Dorset d'une petite maison qu'il n'occupe pas. Il me la prête. Nous nous y reposerons quelques semaines. Cela me permettra de terminer mon livre. Nous pourrons ensuite affronter les avocats. Nous avons tous les deux grand besoin de repos. Je suis fatigué à mourir et j'ai par-dessus la tête de vivre séparé de toi, Sarah.

— Moi aussi.

Elle parlait à voix si basse que je n'aurais pas entendu ces deux petits mots si je n'y avais été accoutumé; mais ils étaient comme l'indicatif musical qui avait ponctué toutes nos relations, depuis le jour où nous avions fait l'amour dans l'hôtel de Paddington. « Moi aussi », dans la solitude, les chagrins, les déceptions, les joies et le désespoir, « Moi aussi » pour réclamer le droit de tout partager.

— L'argent sera rare, dis-je, mais pas trop rare. On m'a commandé une *Vie du Général Gordon* et l'avance que je toucherai suffira largement à nous faire vivre pendant trois mois. A ce moment-là je pourrai donner mon roman à l'éditeur et recevoir une avance dessus. Les deux livres doivent sortir cette année et les droits nous permettront de durer jusqu'à ce qu'un autre soit prêt. Je vais pouvoir travailler, avec vous à mes côtés. Savez-vous que, d'un jour à l'autre, je peux devenir célèbre ? Je vais avoir un succès de gros public, un succès que vous détesterez et que je détesterai, mais nous achèterons des tas de choses, nous ferons des folies et ce sera amusant parce que nous les ferons ensemble.

Brusquement, je m'aperçus qu'elle dormait. Epuisée par sa fuite, elle s'était endormie contre mon épaule comme elle l'avait fait si souvent jadis, dans des taxis, sur des impériales d'autobus ou des bancs de jardin public. Je ne bougeai pas et la laissai reposer. Rien ne pouvait la déranger dans cette église obscure. Les cierges vacillaient autour de la Vierge et nous étions tout à fait seuls. La courbature qui montait lentement vers mon épaule, à l'endroit où mon bras soutenait sa tête, était la sensation la plus agréable que j'eusse jamais éprouvée.

On prétend que les enfants sont influencés par ce qu'on leur chuchote pendant qu'ils dorment, aussi me mis-je à parler à Sarah, d'une voix très basse, trop basse pour l'éveiller, dans l'espoir qu'hypnotiquement mes paroles s'enfonceraient dans son esprit inconscient.

— Je t'aime, Sarah, murmurai-je, personne ne t'a aimée autant que moi. Nous allons être heureux. Henry n'en souffrira pas, si ce n'est dans son orgueil, et les blessures d'orgueil guérissent vite. Il se découvrira une nouvelle manie qui prendra ta place dans sa vie, peut-être se mettra-t-il à collectionner des monnaies anciennes. Nous allons partir, Sarah, nous allons partir.

Personne ne peut nous arrêter maintenant. Tu m'aimes, Sarah...

Et je me tus, parce que je réfléchissais à la nécessité d'acheter une nouvelle valise. Sarah s'éveilla en toussant.

— J'ai dormi, dit-elle.
— Il faut rentrer chez vous, Sarah. Vous avez froid.
— Ce n'est pas chez moi, Maurice. Je ne veux pas m'en aller d'ici.
— Il fait froid.
— Le froid m'est égal. Il fait sombre. Je peux croire à n'importe quoi, dans le noir.
— Contentez-vous de croire à nous.
— C'est ce que je voulais dire.

Elle referma les yeux. Je regardai l'autel et triomphalement, presque comme si j'y avais aperçu un rival vivant, je pensai : « Vous voyez... ce sont ces arguments-là qui finissent par vaincre... » et je passai doucement les doigts sur le sein de Sarah.

— Vous êtes fatiguée ? lui demandai-je.
— Très fatiguée.
— Vous n'auriez pas dû courir ainsi pour m'échapper.
— Ce n'est pas à vous que j'essayais d'échapper. (Elle déplaça son épaule.) Maurice, partez maintenant, s'il vous plaît.
— Il faut aller vous mettre au lit.
— Je vais y aller. Je ne veux pas rentrer avec vous. Je veux vous quitter ici.
— Promettez-moi de ne pas rester longtemps.
— Je vous le promets.
— Et vous me téléphonerez ?

Elle fit signe que oui, mais en baissant les yeux pour regarder sa main posée sur ses genoux comme un objet qu'on y aurait oublié, je vis qu'elle avait croisé les doigts. Je lui demandai avec méfiance:
— Vous me dites la vérité, c'est sûr?

Je lui décroisai les doigts entre les miens et j'insistai:
— Vous n'avez pas l'intention de m'échapper une fois de plus?
— Maurice, cher Maurice, dit-elle, je n'en ai pas la force.

Et elle se mit à pleurer et à s'enfoncer les poings dans les yeux en un geste enfantin.
— Excusez-moi, dit-elle, et partez, je vous en prie, Maurice, ayez un peu de pitié.

Le besoin de tourmenter, de soupçonner un être s'épuise à la fin. Je ne pouvais m'acharner après avoir entendu cette prière. Je posai un baiser sur ses cheveux solides, aux boucles serrées, et en écartant la tête je sentis ses lèvres mouillées, au goût de sel, se poser sur le coin de ma bouche:
— Dieu te bénisse, dit-elle.

Et je pensai: « C'est ce qu'elle a effacé dans sa lettre à Henry. » On répond adieu à celui qui dit: adieu, sauf si l'on est Smythe, et ce fut un élan involontaire qui me poussa à répéter ses mots de bénédiction. Pourtant, quand je me retournai, au seuil de l'église, et que je la vis tapie dans son coin, à la limite de la lueur des cierges, comme un mendiant entré pour trouver la chaleur, je pouvais imaginer un Dieu qui la bénirait, un Dieu qui l'aimerait. En commençant à raconter notre histoire, je croyais faire la chronique d'une haine, mais je ne sais comment, la haine s'est égarée et tout ce que je pense aujourd'hui c'est qu'en dépit de ses erreurs, de son instabilité, Sarah était meilleure que beaucoup d'autres; il faut bien qu'un de nous ait foi en elle, car elle n'a jamais eu foi en elle-même.

CHAPITRE II

Pendant les quelques jours qui suivirent il me fallut faire un grand effort pour être raisonnable. Je travaillais désormais pour nous deux. Le matin, je m'étais fixé un minimum de sept cent cinquante mots de mon roman à écrire, mais j'arrivais généralement vers onze heures à un millier de mots. Les effets de l'espoir sont étonnants: ce roman, qui avait traîné pendant toute l'année, se précipitait vers sa fin. Je savais qu'Henry partait pour son travail vers neuf heures et demie; l'heure la plus commode pour un coup de téléphone était donc entre dix heures et midi trente. Henry (d'après les renseignements fournis par Parkis) avait pris l'habitude de rentrer déjeuner chez lui: il n'y avait aucune chance qu'elle m'appelât avant trois heures. Je changeai mon emploi du temps quotidien: je ferais mon courrier jusqu'à midi et demi; après quoi, si mélancolique que ce fût, j'étais délivré de l'attente. Jusqu'à deux heures et demie je pouvais travailler dans la salle de lecture du British Museum et prendre des notes pour ma biographie du général Gordon. J'avais besoin de moins de concentration pour lire et établir des fiches que pour écrire mon roman, et la pensée de Sarah pouvait s'interposer entre moi et la vie des Missions en Chine. Je me demandais souvent pourquoi l'on m'avait commandé cette biographie. On aurait bien mieux fait de choisir un écrivain qui crût au Dieu de Gordon. Je pouvais apprécier sa résistance obstinée à Khartoum, sa haine des hommes politiques bien à l'abri dans la métropole, mais la bible posée sur son bureau appartenait à un univers de la pensée qui n'était pas le mien. Peut-être mon éditeur escomptait-il à moitié que ma façon cynique de traiter le christianisme de Gordon assurerait au livre un *succès de scandale ?*[1] Je n'avais pas l'intention de le satisfaire : ce Dieu est aussi celui de Sarah, et je n'allais pas jeter la moindre pierre sur les fantômes qu'elle croyait aimer. Je ne nourrissais à cette époque aucune haine de son Dieu : n'avais-je pas en fin de compte été plus fort que lui ?

Un jour que je mangeais mes sandwiches sur lesquels l'encre bleue de mon crayon indélébile finissait toujours par déteindre je ne sais comment, je fus salué par un homme assis au bureau vis-à-vis du mien et dont le visage m'était familier : il parlait à voix très basse, par considération pour les autres lecteurs.

— J'espère, monsieur, que tout va bien maintenant, si vous me pardonnez cette allusion personnelle.

Par-dessus le dossier de mon pupitre, j'aperçus l'inoubliable moustache.

— Très bien, Parkis, merci. Voulez-vous un sandwich illicite ?

— Oh ! non, monsieur, je ne pourrais vraiment pas...

---

[1] En français dans le texte.

— Allons, allons... imaginez que c'est compté dans la note des frais.

Il en prit un à son corps défendant, l'ouvrit et me dit avec une espèce d'horreur comme si, ayant accepté un sou, il s'apercevait qu'il tenait à la main une pièce d'or:

— C'est du vrai jambon.

— Mon éditeur m'en a envoyé une boîte d'Amérique.

— Vous êtes trop bon, monsieur.

— J'ai toujours votre cendrier, Parkis, murmurai-je en baissant la voix, car mon voisin m'avait lancé un coup d'œil furibond.

— Sa valeur est purement sentimentale, me répondit Parkis dans un souffle.

— Comment va votre petit garçon?

— Il digère difficilement.

— Je suis surpris de vous rencontrer. Vous travaillez? J'espère qu'il ne s'agit pas d'une filature.

Il m'était difficile d'imaginer qu'un des habitués poussiéreux de cette salle de lecture — ceux qui, dans la bibliothèque, portaient des chapeaux et des cache-nez par peur des courants d'air, l'Indien qui épluchait à grand-peine les œuvres complètes de George Eliot, ou l'homme qui, tous les jours, dormait, la tête posée à côté de la même pile de livres — pût être le héros d'un drame de la jalousie sexuelle.

— Oh! non, monsieur. Je ne suis pas ici pour mon travail. C'est mon jour de liberté et mon petit garçon est rentré en classe ce matin.

— Que lisez-vous?

— La chronique des tribunaux du *Times*, monsieur. Aujourd'hui, j'étudie l'affaire Russell. Ça donne une sorte de fond, de base, à notre besogne. Ça ouvre des perspectives. Ça change des vulgaires petits détails quotidiens. J'ai connu un des témoins de ce procès, monsieur. Nous avions travaillé jadis dans le même bureau. Le voilà entré dans l'histoire, ce qui ne m'arrivera sûrement pas, à moi.

— On ne sait jamais, Parkis.

— Oh! si, monsieur, on sait. Et c'est ce qui est décourageant. L'affaire Bolton, voilà la limite où je suis parvenu. La loi qui interdit la publication des témoignages dans les cas de divorce a été un coup dur pour les hommes de ma profession. Le juge ne nous nomme jamais, monsieur, et il est très souvent injuste envers nous et envers notre métier.

— Cela ne m'avait jamais frappé, dis-je avec sympathie.

Même Parkis pouvait faire naître ma nostalgie. Je ne le verrais jamais sans penser à Sarah. Je pris le métro et rentrai avec l'espoir de voir venir ma compagne; chez moi, dans l'intolérable attente de l'appel du téléphone, je vis s'éloigner peu à peu l'ombre de cette compagne: ce ne serait pas encore pour aujourd'hui. A cinq heures, je formai le numéro, mais dès que j'entendis la sonnerie, je raccrochai: peut-être Henry était-il rentré de bonne heure, et je ne pouvais parler à Henry, maintenant que j'étais vainqueur, puisque Sarah m'aimait et que Sarah se disposait à le quitter. Mais une victoire retardée peut tendre les nerfs autant qu'une défaite prolongée.

Huit jours se passèrent avant que résonnât la sonnerie du téléphone. Ce ne fut pas à l'heure où je l'attendais, car, il n'était pas encore neuf heures du matin, et quand je dis: « Allô », la voix d'Henry me répondit:
— C'est vous, Bendrix?
Il y avait quelque chose de très étrange dans son ton et je me demandai: « Lui a-t-elle tout dit? »
— C'est moi-même.
— Il est arrivé une chose épouvantable. Il faut que vous le sachiez: Sarah est morte.
Comme nous nous conduisons sans originalité en de tels moments!
— Je suis absolument navré, Henry, lui dis-je.
— Avez-vous des projets pour ce soir?
— Non.
— Voudriez-vous traverser et venir boire quelque chose avec moi? Il m'est pénible de rester seul.

# LIVRE CINQUIÈME

CHAPITRE PREMIER

Je passai la nuit auprès d'Henry. C'était la première fois que je dormais dans sa maison. Il y avait une seule chambre d'amis et Sarah l'occupait: elle s'y était installée une semaine avant, afin de ne pas déranger Henry par sa toux. Je dormis donc sur le divan de ce salon dans lequel nous avions fait l'amour. Je ne voulais pas passer la nuit, mais Henry me supplia de rester.

Je crois que nous bûmes à nous deux une bouteille et demie de whisky. Je me rappelle Henry disant:

— C'est étrange, Bendrix, mais l'on ne peut être jaloux des morts. Voici seulement quelques heures que Sarah est morte et pourtant j'avais envie de vous sentir près de moi.

— Vous n'aviez guère de raison d'être jaloux. Tout était fini entre nous depuis longtemps.

— Je n'ai pas besoin désormais de ce genre de consolation, Bendrix. Rien n'était fini entre vous. Mais j'ai eu de la chance. C'est moi qui l'ai gardée toutes ces années. M'en voulez-vous beaucoup?

— Je ne sais pas, Henry. J'ai cru parfois que je vous haïssais, mais je ne sais plus.

Nous étions assis dans son bureau, sans lumière. La flamme du chauffage au gaz était trop basse pour que chacun de nous pût distinguer le visage de l'autre, et ce fut seulement aux inflexions de sa voix que je sus qu'Henry pleurait. Le Discobole nous visait tous les deux dans le noir.

— Racontez-moi comment cela est arrivé, Henry.

— Vous vous rappelez le soir que je vous ai rencontré sur les Allées, il y a trois ou quatre semaines, n'est-ce pas? Elle a attrapé un gros rhume ce soir-là. Elle n'a jamais voulu se soigner. Je n'ai même pas su que ses bronches étaient atteintes, elle ne parlait jamais à personne de ce genre de choses...

« Même pas à son journal, pensai-je; il ne contient pas un mot concernant sa santé. Elle n'avait pas le temps d'être malade. »

— Elle s'est mise au lit à la fin, dit Henry, mais personne n'a pu l'y faire rester; elle a refusé de voir un docteur, elle n'avait jamais cru à la médecine. Il y a une semaine, elle s'est levée et elle est sortie. Dieu sait où elle est allée et pourquoi. Elle m'a dit qu'elle avait eu besoin de marcher. Je suis rentré de bonne heure un soir et j'ai trouvé la maison vide. Elle n'est revenue qu'à neuf heures, trempée de pluie, encore plus mouillée que la première fois. Elle avait dû marcher pendant des heures sous la pluie. Elle a eu de la fièvre toute la nuit; elle ne cessait de parler à quelqu'un que je ne connais pas: ce n'était ni vous, ni moi, Bendrix. Je l'ai forcée à accepter un docteur, après cela. Il m'a dit que s'il avait pu lui faire de la pénicilline huit jours avant, il l'aurait sauvée.

Il ne nous restait plus, à l'un comme à l'autre, qu'à boire un nouveau verre de whisky. Je pensai à l'étranger sur les traces de qui j'avais mis Parkis, à mes frais. C'était évidemment cet étranger qui avait fini par gagner. « Non, pensais-je, je n'en veux pas à Henry. Je Vous hais, si vous existez. » Je me rappelai qu'elle avait dit à Richard Smythe que je lui avais enseigné à croire. Je n'aurais pour rien au monde pu dire comment cela s'était fait, mais la pensée de ce que j'avais rejeté me poussa à me haïr moi-même en plus.

— Elle est morte ce matin à quatre heures, dit Henry. Je n'étais pas auprès d'elle. L'infirmière ne m'a pas appelé à temps.

— Où est l'infirmière?

— Elle a achevé sa tâche avec beaucoup de soin. Elle avait un cas urgent et elle est partie avant le déjeuner.

— Je voudrais pouvoir vous rendre service.

— Vous me rendez service rien qu'en étant ici. J'ai passé une journée épouvantable, Bendrix. Voyez-vous, je n'ai jamais eu à m'occuper d'un décès. J'avais toujours présumé que je m'en irais le premier, et je suis sûr que Sarah aurait su ce qu'il fallait faire... si elle était restée avec moi jusqu'au bout. En somme c'est un travail de femme, autant que de mettre un bébé au monde.

— Je suppose que le docteur vous a aidé.

— Il est terriblement bousculé cet hiver. Il a téléphoné aux pompes funèbres: je n'aurais pas su à qui m'adresser. Nous n'avons même pas d'annuaire des « professions ». Mais un docteur ne peut pas me dire ce que je dois faire des vêtements de Sarah, les armoires en sont pleines. Les fards, les parfums... on ne peut pas jeter tous ces objets. Si seulement elle avait une sœur.

Il se tut brusquement parce que la porte de la rue s'ouvrit et se referma exactement comme le soir où il avait dit: « C'est la bonne », et où j'avais rectifié: « Non, c'est Sarah. » Nous écoutâmes les pas de la bonne monter l'escalier. C'est extraordinaire comme une maison peut être vide, avec trois personnes dedans. Nous bûmes notre whisky et j'en versai d'autres.

— J'en ai en quantité dans la maison, dit Henry. Sarah en avait trouvé une nouvelle source...

Il s'interrompit de nouveau. Sarah se dressait au bout de tous les chemins. Il était vain d'essayer de l'éviter, fût-ce pendant un moment. Je pensais: « Pourquoi nous avez-Vous fait cela? si elle n'avait pas cru en Vous, elle serait encore vivante ce soir et nous serions encore amants. » Il m'était étrange et douloureux de me rappeler que j'avais été mécontent de notre situation. Aujourd'hui, j'aurais été heureux de la partager avec Henry.

— Et l'enterrement? dis-je.

— Bendrix, je ne sais pas quoi faire. Il est arrivé une chose très troublante. Quand elle avait le délire (naturellement, elle n'était pas lucide), la garde m'a dit qu'elle réclamait un prêtre. Du moins, elle répétait sans arrêt: « Père, Père! » Il ne pouvait s'agir de son propre père qu'elle n'a jamais connu. Bien entendu, la garde savait que nous n'étions pas catholiques. Elle a fait preuve de bon sens. Elle a calmé Sarah. Mais je suis tourmenté, Bendrix.

Je pensais avec colère et amertume: « Vous auriez pu laisser le pauvre Henry tranquille. Nous nous étions passé de Vous pendant des années. Pourquoi surgissez-Vous brusquement au milieu de toutes les situations comme un parent inconnu qui revient des Antipodes ? »

— Quand on habite Londres, reprit Henry, la solution la plus simple, c'est l'incinération. Avant que la garde me le dise, j'avais le projet de faire faire cela à Golders Green. L'entrepreneur des pompes funèbres a appelé le four crématoire au téléphone. Ils peuvent prendre Sarah après-demain.

— Elle avait le délire, dis-je; il ne faut pas tenir compte de ce qu'elle disait.

— Je me suis demandé si je ne devrais pas consulter un prêtre. Elle gardait le silence sur tant de choses. Pour ce que j'en sais, elle s'était peut-être convertie au catholicisme. Elle était si bizarre depuis quelque temps.

— Oh! non, Henry. Elle ne croyait pas plus que nous ne croyons, vous et moi.

Je voulais qu'elle fût brûlée. Je voulais pouvoir dire: « Ressuscitez ce corps si vous en êtes capable »; ma jalousie ne s'était pas tarie, comme celle d'Henry, avec la mort de Sarah. J'avais le sentiment qu'elle vivait encore, en compagnie d'un amant qu'elle m'avait préféré. Comme j'aurais voulu pouvoir mettre Parkis à ses trousses pour interrompre leur éternité!

— En êtes-vous tout à fait certain?

— Tout à fait certain, Henry.

Je pensais: « Soyons prudent. Je ne dois pas faire comme Richard Smythe, je ne dois pas haïr car si j'en venais à haïr sincèrement, c'est que je croirais; et si je croyais, quel triomphe pour Vous et pour elle! Je joue la comédie quand je parle de vengeance et de jalousie; cela ne sert qu'à remplir mon cerveau, afin de me permettre d'oublier le fait absolu de sa mort. » La semaine dernière, je n'avais qu'à lui dire: « Vous souvenez-vous de ce premier jour, nous n'avions pas un shilling à mettre dans le compteur électrique? » pour que la scène apparût devant nos yeux. Maintenant, cela ne revivait que pour moi. Sarah avait perdu tous nos souvenirs communs et l'on eût dit qu'en mourant, elle m'avait dérobé une partie de moi-même. Je perdais mon individualité. C'était un premier pas de franchi vers ma propre mort, ces souvenirs qui se détachaient de moi comme des membres gangrenés.

— J'ai en horreur tous ces falbalas de prières et de croque-morts, mais si Sarah le désirait j'essaierais d'organiser cela.

— Elle a choisi de se marier civilement, dis-je, pourquoi voudrait-elle que ses obsèques aient lieu dans une église?

— Evidemment. Je pense que vous avez raison.

— Le mariage civil et l'incinération vont ensemble, ajoutai-je.

Et je vis Henry relever la tête dans la pénombre, comme s'il avait flairé mon ironie.

— Laissez-moi vous décharger de ce souci, suggérai-je de la même façon qu'en cette même pièce, devant ce même feu, je lui avais offert d'aller consulter Mr Savage à sa place.

— Vous êtes très bon, Bendrix.

Il vida jusqu'aux dernières gouttes le whisky dans nos verres, minutieusement et équitablement.
— Il est minuit, dis-je. Il faut que vous preniez un peu de sommeil. Si vous pouvez.
— Le docteur m'a laissé des pilules
Mais il n'avait pas encore envie de rester seul. Je savais exactement ce qu'il ressentait; moi aussi, quand j'avais passé une journée avec Sarah, je reculais autant que je le pouvais le moment où je me retrouverais seul dans ma chambre.
— J'oublie constamment qu'elle est morte, dit Henry.
Et c'est aussi ce qui m'était arrivé toute l'année 1945, la mauvaise année; en m'éveillant chaque matin, j'avais oublié que notre histoire d'amour était terminée, que le téléphone pouvait m'apporter n'importe quelle voix sauf la sienne. Elle était morte alors, autant qu'elle était morte aujourd'hui. Pendant un mois ou deux cette année, un fantôme m'avait infligé la souffrance de l'espoir, mais le fantôme était exorcisé et bientôt ma souffrance allait guérir. J'allais mourir un peu plus chaque jour, mais comme j'aspirais à retenir cette souffrance! Tant qu'on souffre, on vit.
— Allez vous coucher, Henry.
— J'ai peur de rêver d'elle.
— Vous dormirez sans rêves si vous prenez les pilules du docteur.
— En voulez-vous une, Bendrix?
— Non, merci.
— Est-ce que vous ne voudriez pas passer la nuit ici? Il fait très mauvais dehors.
— Le mauvais temps ne me fait pas peur.

— Vous me rendriez un grand service.
— Alors je reste, naturellement.
— Je vais vous chercher des draps et des couvertures.
— Ne prenez pas cette peine.
Mais il était déjà parti.
Je regardai le plancher de bois dur et je me souvins de la note exacte du cri qu'elle avait jeté. Sur le bureau auquel elle avait l'habitude d'écrire ses lettres, se trouvaient des objets hétéroclites que je pouvais interpréter un à un comme un code. Je pensais: elle n'a même pas jeté ce galet. Nous avions ri de sa forme: il est là, en guise de presse-papier. Henry n'y devait rien comprendre, pas plus qu'à la bouteille miniature d'une liqueur que nous n'avions aimée ni l'un, ni l'autre, au morceau de verre poli par les vagues ou au petit lapin en bois que j'avais acheté à Nottingham. Emporterais-je chez moi toutes ces choses? Sinon, elles allaient finir dans la corbeille à papier lorsque Henry se déciderait à mettre de l'ordre, mais pourrais-je supporter de vivre en compagnie de ces souvenirs?

Je les contemplais lorsque Henry rentra, chargé de couvertures.

— J'ai oublié de vous dire, Bendrix: s'il y a quelque chose que vous ayez envie de prendre... je ne crois pas qu'elle ait laissé de testament.

— Vous êtes bien gentil.

— Je suis reconnaissant envers tous ceux qui l'ont aimée, maintenant.

— Je prendrai cette pierre, si vous me le permettez.

— Elle conservait les choses les plus saugrenues. Je vous ai descendu un de mes pyjamas, Bendrix.

Henry avait oublié de me donner un oreiller, et ma tête posée sur un coussin, il me semblait sentir le parfum de Sarah. Je désirais des choses que je n'aurais jamais plus, qui ne pouvaient se remplacer par d'autres. Je ne pouvais pas dormir. J'enfonçai mes ongles dans mes paumes comme elle l'avait fait, afin que la douleur empêchât mon cerveau de travailler, et qu'elle arrêtât le pendule de mon désir dans son épuisant balancement: désir d'oublier et de me rappeler, désir d'être mort et de rester en vie un peu plus longtemps. Puis, à la fin, je m'endormis. Je remontais Oxford-Street et j'étais tracassé par l'idée qu'il me fallait acheter un cadeau et que toutes les boutiques étaient pleines de bijoux bon marché, scintillant dans les éclairages indirects. De temps en temps, il me semblait distinguer quelque chose de beau et je m'approchais de la vitre, mais quand je voyais le bijou de près, il était en toc comme tous les autres, c'était parfois un hideux oiseau vert dont les yeux rouges essayaient de passer pour des rubis. Le temps me manquait et je courais de magasin en magasin. Puis, d'une de ces joailleries, sortit Sarah et je sus qu'elle allait m'aider. « Avez-vous acheté quelque chose, Sarah ? » — « Pas ici, me répondit-elle, mais un peu plus loin, ils ont d'adorables petites bouteilles. » — « Je n'ai pas le temps, et je la suppliai: Aidez-moi. Il faut que je trouve quelque chose: c'est demain l'anniversaire de naissance. » — « Rassurez-vous, dit-elle, il se produit toujours quelque chose d'inattendu. Rassurez-vous », et je cessai brusquement de me tourmenter. Oxford-Street alla se perdre dans un grand pré gris et brumeux, j'avais les pieds nus et je marchais dans la rosée, tout seul; je trébuchais au bord d'une ornière profonde et cela m'éveilla, mais j'entendais toujours: « Rassurez-vous » comme un chuchotement installé au creux de mon oreille, un de ces bruits d'été qui appartiennent à l'enfance.

A l'heure du déjeuner, Henry dormait encore et la bonne que Parkis avait subornée m'apporta sur un plateau du café et du pain grillé. Elle ouvrit les rideaux: le grésil s'était transformé en neige opaque. J'étais encore tout brouillé de sommeil et dans la béatitude de mon rêve, aussi fus-je surpris de voir ses yeux rougis par les larmes de la veille.

— Qu'avez-vous donc, Maud? demandai-je.

Et ce ne fut qu'en la voyant poser le plateau et sortir d'un air indigné que je m'éveillai complètement au vide de la maison et au vide du monde. Je montai voir Henry. Il était toujours plongé dans son sommeil narcotique et il souriait d'un sourire de chien: je l'enviai. Puis je redescendis et j'essayai de manger mon toast.

Il y eut un coup de sonnette, et j'entendis la servante introduire quelqu'un. Je supposai qu'on était venu des pompes funèbres, car j'entendis ouvrir la porte de la chambre d'amis. Le visiteur regardait Sarah morte: moi je ne l'avais pas vue et ne désirais pas la voir, pas plus que je n'aurais souhaité la voir dans les bras d'un autre. Certains hommes y trouvent un stimulant, moi pas. Personne ne ferait de moi l'entremetteur de la mort. Je rassemblai mes esprits et je me dis: « Maintenant que tout est irrévocablement terminé il faut que je reparte à zéro; je suis tombé amoureux une fois, la chose peut se reproduire. » Mais je n'en étais pas convaincu: il me semblait que j'avais donné tout l'amour physique dont je disposais.

Autre coup de sonnette. Comme il s'en passait des choses dans cette maison pendant qu'Henry dormait. Cette fois, Maud vint me trouver.

— Il y a un monsieur en bas, dit-elle, qui demande après Mr Miles, mais ça m'ennuie de le réveiller.

— Qui est-ce?

— C'est cet ami de Mrs Miles, répondit-elle, admettant pour la première fois son rôle, dans notre sordide collaboration.

— Il faut le faire monter, dis-je.

Je me sentais à présent bien supérieur à Smythe, parce que j'étais assis, vêtu du pyjama d'Henry, dans le salon de Sarah et que j'en savais très long sur lui, alors qu'il ignorait tout de moi. Il me regarda d'un air confus, la neige ruisselant de ses vêtements sur le parquet.

— Nous nous sommes déjà vus, dis-je. Je suis un ami de Mrs Miles.

— Vous aviez un petit garçon avec vous.

— C'est cela même.

— Je suis venu voir Mr Miles.

— Vous avez appris la nouvelle?

— C'est pour cela que je suis venu.

— Il dort. Le médecin lui a donné un soporifique. Ç'a été un choc terrible pour nous tous, ajoutai-je niaisement.

Il regardait autour de lui; dans l'appartement de Cedar Road, sortie de nulle part, Sarah avait dû lui paraître aussi exempte de dimensions qu'un rêve. Mais cette pièce lui conférait une épaisseur : cette pièce était Sarah. La neige montait lentement sur le rebord de la fenêtre comme la terre tombant d'une pelle : la pièce allait être ensevelie comme Sarah.

— Je reviendrai, dit-il en se dirigeant vers la porte, d'un air accablé, tournant vers moi sa joue tachée.

Je pensais : « C'est là que se sont posées les lèvres de Sarah. Elle se laissait toujours prendre au piège de la pitié. »

Il répéta stupidement :

— J'étais venu pour voir Mr Miles et lui dire combien je suis désolé...

— Il est plus habituel, en de telles circonstances, d'écrire.

— J'ai pensé que je pourrais peut-être l'aider, fut tout ce qu'il trouva à répondre.

— Mr Miles n'a pas besoin de vous pour le convertir.

— Le convertir? s'écria-t-il, mal à l'aise et décontenancé.

— Au fait qu'il ne reste plus rien de sa femme. Que c'est la fin. L'anéantissement.

Il explosa brusquement :

— Je voulais la voir, c'est tout.

— Mr Miles ne sait même pas que vous existez. Ce n'est pas très délicat de votre part, Smythe, d'être venu ici.

— Quand sont les funérailles?

— Demain à Golders Green.

— Elle n'aurait pas souhaité cela, déclara-t-il, me prenant par surprise.
— Elle ne croyait à rien, exactement comme vous prétendez ne croire à rien vous-même.
— Vous ne savez donc pas? Elle était en train de devenir catholique.
— Balivernes.
— Elle me l'a écrit. Sa décision était prise. Rien de ce que j'aurais pu lui dire n'y aurait changé quoi que ce soit. Elle avait commencé... son instruction. N'est-ce pas le mot qu'ils emploient?

« Ainsi, pensai-je, elle cachait encore d'autres secrets. » Elle n'avait jamais fait allusion à cela dans son Journal, pas plus qu'elle n'y parlait de sa maladie. Que me restait-il encore à découvrir? Cette pensée ressemblait à du désespoir.

— Cela a dû être un choc pour vous, dis-je, par sarcasme, essayant de lui communiquer ma souffrance.
— Oh! j'étais mécontent, c'est sûr. Mais nous ne pouvons pas tous croire aux mêmes choses.
— Ce n'est pas ce que je vous ai entendu proclamer.

Il me regarda comme intrigué par mon antagonisme.

— Votre prénom serait-il Maurice? me demanda-t-il.
— C'est mon prénom.
— Alors, elle m'a parlé de vous.
— Et moi, j'ai lu ce qu'elle écrivait sur vous. Elle s'est moquée de nous deux.
— J'ai été insensé.

Puis :

— Croyez-vous que je pourrais la voir, ajouta-t-il

au moment où j'entendais les pas lourds de l'homme des pompes funèbres descendre l'escalier et j'entendis la même marche qui craquait.
— Elle est en haut. Première porte à gauche.
— Si Mr Miles...
— Vous ne l'éveillerez pas.
Lorsqu'il redescendit, je m'étais habillé.
— Merci, me dit-il.
— Ne me remerciez pas. Elle ne m'appartient pas plus qu'à vous.
— Je n'ai pas le droit de le demander, dit-il, mais je voudrais que vous... je sais que vous l'aimiez et, ajouta-t-il, comme s'il avalait un remède amer, elle vous aimait.
— Qu'essayez-vous de me dire ?
— Je voudrais que vous fassiez quelque chose pour elle.
— Pour elle ?
— Donnez-lui un enterrement catholique. Elle l'aurait souhaité.
— Quelle différence cela peut-il faire ?
— Pour elle, aucune, à ce que je suppose. Mais il vaut toujours mieux se montrer généreux.
— Et qu'ai-je à faire dans tout ceci ?
— Elle m'a toujours dit que son mari avait beaucoup de respect pour vous.

Il dépassait vraiment les bornes de l'absurdité. Je fus pris du désir de faire craquer l'atmosphère de mort de cette pièce ensevelie en éclatant de rire. Je tombai assis sur le divan, secoué par mon hilarité. Je pensais à Sarah étendue morte au premier étage, à Henry qui dormait, un sourire stupide aux lèvres, et à l'amant marqué de taches discutant des funérailles avec l'amant qui avait payé Mr Parkis pour saupoudrer son bouton de sonnette. Les larmes me coulaient sur les joues, tant je riais. Un jour, pendant le blitz, j'avais vu un homme rire devant sa maison où sa femme et son enfant étaient ensevelis.

— Je ne comprends pas, dit Smythe.

Il avait fermé le poing droit comme pour se préparer à se défendre. Il y avait bien des choses que nous ne comprenions ni lui, ni moi. La douleur était comme une explosion inexplicable, qui nous avait jetés l'un contre l'autre.

— Je pars, dit-il en posant sa main gauche sur le bouton de la porte.

Une idée étrange me vint, car je n'avais aucune raison de croire qu'il était gaucher.

— Il faut que vous me pardonniez, dis-je, je ne suis pas dans mon état normal. Nous ne sommes ni les uns ni les autres dans notre état normal.

Je lui tendis la main; il hésita, et la prit dans sa main gauche.

— Smythe, dis-je, que tenez-vous là? Avez-vous pris quelque chose dans sa chambre?

Il ouvrit la main et me montra une mèche de cheveux.

— Rien que cela, dit-il.

— Vous n'en aviez pas le droit.

— Oh! elle n'appartient plus à personne, désormais.

Et brusquement je la vis telle qu'elle était devenue: un détritus qui était là en attendant qu'on le ramasse. Si vous aviez envie d'une mèche de cheveux vous pouviez la prendre, ou lui couper les ongles, si les rognures d'ongles avaient pour vous de la valeur. Comme ceux d'une sainte, les os de son corps pouvaient être mis en fragments, pour peu que quelqu'un les réclamât. Elle allait bientôt être brûlée, alors pourquoi empêcher les gens de se servir avant? Quel imbécile j'avais été de m'imaginer pendant trois ans que je la possédais, de quelque manière que ce fût. Nous n'appartenons à personne, nous ne sommes même pas à nous-mêmes.

— Excusez-moi, dis-je.
— Savez-vous ce qu'elle m'a écrit? demanda Smythe. Il n'y a que quatre jours.

Et je pensai avec tristesse qu'elle avait trouvé le temps de lui écrire, mais pas de me téléphoner.

— Elle m'a écrit: « Priez pour moi. » Ne semble-t-il pas très étrange qu'elle m'ait demandé, à moi, de prier pour elle?

— Qu'avez-vous fait?
— Oh, dit-il, quand j'ai appris qu'elle était morte, j'ai prié.
— Connaissez-vous des prières?
— Non.
— C'est mal, vous ne trouvez pas, de prier un Dieu auquel on ne croit pas?

Je sortis de la maison derrière lui: je n'avais aucune raison de rester jusqu'à ce qu'Henry fût éveillé. Tôt ou tard, il lui faudrait affronter sa solitude, comme j'avais affronté la mienne. Je regardai devant moi Smythe qui s'éloignait de l'autre côté des Allées d'un pas saccadé, et je pensai: « C'est le type du déséquilibré. » L'athéisme peut être un produit du déséquilibre nerveux autant que le mysticisme. La neige fondue, écrasée par le passage d'un grand nombre de piétons, pénétrait à travers mes semelles et me rappelait la rosée de mon rêve, mais lorsque j'essayai de retrouver sa voix disant: « Rassurez-vous », je dus admettre que je n'avais pas la mémoire des sons. Je ne parvenais pas à imiter sa voix. Je ne pouvais même pas en donner une caricature: quand j'essayais de me la rappeler, elle devenait anonyme, la voix de n'importe quelle femme. Le mécanisme de l'oubli était déclenché. Nous devrions garder des disques de phonographe comme nous gardons des photographies.

Je montai les marches démolies et j'entrai dans le vestibule. Rien, si ce n'est le vitrail de couleur, n'y était demeuré comme en cette nuit de 1944. Personne ne connaît le commencement de quoi que ce soit. Sarah avait sincèrement cru, en voyant mon corps, que la fin avait commencé. Elle n'aurait jamais voulu admettre que cette fin avait commencé depuis longtemps: les appels téléphoniques de plus en plus rares, pour telle ou telle raison peu valable, les querelles que je lui cherchais parce que j'avais compris que cette fin de l'amour nous menaçait. Nous avions commencé à regarder au-delà de l'amour, mais j'étais seul à savoir dans quelle voie nous étions chassés. Si la bombe était tombée un an avant, Sarah n'aurait pas fait cette promesse. Elle se serait arraché les ongles à essayer de me dégager. Quand nous avons épuisé les êtres humains, nous allons chercher des illusions dans la foi en Dieu, comme un gourmet exige pour sa nourriture des sauces plus compliquées. Je contemplai ce vestibule, net comme une cellule, peint d'une hideuse couleur verte, et je pensai: elle a voulu que j'aie une seconde chance et la voici: une vie vide, inodore, antiseptique, la vie d'une prison, et j'accusai Sarah comme si ses prières avaient vraiment opéré ce changement. Que vous avais-je fait pour mériter que vous me condamniez à vivre? Le bois neuf de l'escalier et de la rampe craquait du bas jusqu'en haut. Sarah n'avait jamais gravi ces marches. Même les réparations de cette maison faisaient partie du mécanisme de l'oubli. Il faut être un Dieu hors le temps pour se rappeler quand tout se transforme. Aimais-je encore ou ne faisais-je que regretter l'amour?

J'entrai dans ma chambre: il y avait sur le bureau une lettre de Sarah.

Elle était morte depuis vingt-quatre heures, inconsciente depuis plus longtemps que cela. Comment une lettre peut-elle mettre tant de temps à traverser une simple place? Mais je vis qu'elle s'était trompée de numéro, ce qui fit jaillir quelques gouttes de ma vieille amertume. Elle n'aurait pas oublié mon numéro il y a deux ans.

L'idée de revoir son écriture contenait une si atroce souffrance que je faillis présenter la lettre à la flamme du gaz, mais la curiosité peut l'emporter sur la souffrance. La lettre était au crayon, elle avait dû l'écrire au lit.

Très cher Maurice, écrivait-elle, *je voulais vous écrire l'autre soir après votre départ, mais je me suis sentie vraiment malade en arrivant à la maison et*

Henry s'est mis dans tous ses états. J'écris au lieu de téléphoner. Je n'ai pas la force de téléphoner et d'entendre votre voix devenir toute drôle quand je vous dirai que je ne pars pas avec vous. Car je ne vais pas partir avec vous, Maurice, mon bien-aimé. Je vous aime, mais je ne veux plus vous revoir. Je ne sais pas comment je vais arriver à vivre avec ce chagrin et cette aspiration vaine, et je prie Dieu sans cesse pour qu'il ne me traite pas trop durement, et qu'il ne me maintienne pas longtemps en vie. Cher Maurice, je voudrais comme tout le monde manger mon gâteau et l'avoir encore. Je suis allée trouver un prêtre, il y a deux jours, juste avant votre coup de téléphone, et je lui ai dit que je voulais devenir catholique. Je lui ai parlé de vous et lui ai raconté ma promesse. Je lui ai dit que je n'étais plus vraiment la femme d'Henry. Nous ne couchons pas ensemble, jamais depuis la première année que je vous ai connu. Notre mariage n'a d'ailleurs jamais été un vrai mariage, je l'ai dit au prêtre, un mariage civil ne compte réellement pas. Je lui ai demandé si je pouvais devenir catholique et vous épouser. Je savais que vous ne vous opposeriez pas à ce que nous recevions ce sacrement. Chaque fois que je lui posais une question, j'étais remplie d'un grand espoir, mais l'on eût dit que j'ouvrais les contrevents d'une maison nouvelle pour découvrir la vue qu'on avait des fenêtres et que chaque fois je me trouvais en face d'un mur nu. Non, non et non, me répondit-il, je ne pouvais pas vous épouser, je ne pouvais pas continuer à vous voir, pas si je voulais devenir catholique. J'ai pensé: « Que le diable les *emporte tous »* et je suis sortie de la pièce où j'étais venue le consulter, en claquant la porte pour montrer ce que je pensais des prêtres. « Ils se dressent entre Dieu et nous, pensai-je; Dieu a plus de miséricorde »; mais comme je sortais de l'église, je vis le crucifix qu'ils ont accroché là et je pensai: « Bien sûr, il est miséricordieux, mais c'est une drôle de miséricorde qui ressemble parfois à un châtiment. » Maurice, mon chéri, j'ai d'horribles maux de tête et je me sens malade à mourir. Si seulement je n'étais pas forte comme un cheval! Je ne veux pas vivre sans vous, et je sais qu'un jour je vais vous rencontrer sur les Allées et qu'alors je me foutrai complètement d'Henry, de Dieu et du reste. Mais à quoi bon, Maurice? Je crois à l'existence de Dieu, je crois à tout le bataclan, il n'y a rien à quoi je ne croie; on pourrait diviser la Trinité en une douzaine de morceaux et j'y croirais; on pourrait exhumer des chroniques prouvant que le Christ a été inventé par Pilate parce que celui-ci désirait obtenir de l'avancement, que je croirais de la même manière. J'ai attrapé la foi comme on attrape une maladie. Je suis tombée croyante comme on tombe amoureuse. Je n'avais jamais aimé comme je vous aime, et je n'ai jamais cru en rien comme je crois maintenant. C'est une certitude. Je n'avais jamais été certaine de rien. Quand vous êtes entré dans la chambre, le visage ensanglanté, j'ai senti cette certitude. Une fois pour toutes. Même si je l'ignorais alors. Je me suis défendue contre la foi plus longtemps que je ne me suis défendue contre l'amour, mais il ne me reste plus de force pour combattre.*

Maurice, mon chéri, ne vous fâchez pas. Plaignez-moi, mais ne vous fâchez pas. Je suis un fantoche et un faux jeton, mais ceci n'est ni artificiel, ni frivole. Je croyais autrefois que j'étais sûre de moi, que je savais ce qui était bien ou mal, et c'est vous qui m'avez appris à ne pas être sûre. Vous avez déblayé tous mes mensonges et mes hypocrisies comme on balaie les décombres d'une route sur laquelle un personnage très important va passer: et voici que ce personnage est venu, mais c'est vous qui aviez préparé la route. Quand vous écrivez, vous essayez d'être véridique; c'est vous qui m'avez appris à désirer la vérité et vous m'arrêtiez quand je disais une chose qui n'était pas vraie. « Pensez-vous réellement cela, me disiez-vous, ou pensez-vous seulement que vous le pensez? » De sorte que c'est entièrement votre faute, vous le voyez, Maurice, entièrement votre faute. Je prie Dieu qu'il ne me garde pas en vie, dans cet état.

C'était tout. Elle semblait avoir le don de voir ses prières exaucées avant même qu'elles eussent été exprimées, car n'avait-elle pas commencé de mourir le soir où elle était rentrée ruisselante de pluie et où elle m'avait trouvé avec Henry? Si ceci était un roman, je le terminerais ici: un roman, à ce que j'imaginais jusqu'à présent, doit se terminer quelque part; mais je commence à croire que pendant toutes ces années mon réalisme a été en défaut, car dans la vie, il semble que rien ne se termine jamais. Les chimistes vous diront que la matière n'est jamais complètement détruite et les mathématiciens affirment que si vous diminuez de moitié chacun des pas que vous faites pour traverser une chambre, vous n'atteindrez jamais le mur opposé. Ce serait donc un bien grand optimisme de ma part si je croyais que cette histoire se termine ici. Seulement, autant que Sarah, je voudrais n'être pas fort comme un cheval.

CHAPITRE II

J'arrivai en retard aux obsèques. J'avais rendez-vous en ville avec un homme du nom de Waterbury qui allait écrire dans une petite revue un article sur mon œuvre. Je jouai à pile ou face pour décider si je le verrais ou non: je connaissais trop bien d'avance le style redondant de son article, les sens cachés qu'il découvrirait et que j'avais ignorés, et les défauts que j'étais fatigué d'admettre. D'un ton protecteur, il me placerait pour conclure probablement un peu au-dessus de Maugham, parce que Maugham est populaire et que je n'ai pas encore commis ce crime, pas encore; mais bien que je conserve encore un peu de la distinction due à l'insuccès, les petites revues, en détectives avisés, flairent cette popularité qui se dirige vers moi.

Pourquoi ai-je pris la peine de jouer à pile ou face ? Je n'avais pas envie de voir Waterbury et je n'avais certainement pas envie qu'on écrive un article sur moi. Car j'ai épuisé l'intérêt que m'inspirait mon œuvre: personne ne peut me faire grand plaisir en me louant, ou me blesser par des critiques. Quand j'ai commencé ce roman dont le héros était un fonctionnaire, tout cela m'intéressait encore, mais après l'abandon de Sarah, mon travail m'est apparu pour ce qu'il était : une drogue aussi peu importante que les cigarettes qui vous aident à franchir les semaines et les années. Si la mort est l'anéantissement, comme j'essaie encore de le croire, à quoi sert de laisser derrière soi quelques livres plutôt que des petites bouteilles, des vêtements, de la bijouterie bon marché ? Et si c'est Sarah qui est dans le vrai, comme l'importance de l'art devient sans importance ! Je crois que je tirai à pile ou face uniquement poussé par la crainte de la solitude. Je n'avais rien à faire avant les obsèques. Je voulais me donner du courage à l'aide d'un verre ou deux d'alcool (l'on peut cesser de s'intéresser à son travail, mais l'on ne cesse jamais de tenir aux conventions : un homme ne doit pas avoir de défaillances en public).

Waterbury m'attendait dans un petit bar où l'on boit du sherry, près de Tottenham Court Road. Il portait un pantalon de velours noir à côtes, fumait des cigarettes bon marché et était accompagné d'une jeune fille beaucoup plus grande et plus belle que lui qui portait le même modèle de pantalon et fumait les mêmes cigarettes. Elle était très jeune, s'appelait Sylvia, et je savais qu'elle était engagée dans une longue série d'études dont la fréquentation de Waterbury n'était que le commencement : elle en était au stade où l'on imite son professeur. Je me demandai où, avec ce visage, ces yeux vifs et plaisants, ces cheveux de l'or des enluminures, cette jeune fille finirait. Se rappellerait-elle même, dans dix ans d'ici, Waterbury et le bar de Tottenham Court Road ? J'en fus affligé pour Waterbury. Il avait l'air si fier ce matin, si condescendant envers nous deux, mais il était du côté perdant. En somme, pensais-je, lorsque les yeux de la jeune fille et les miens se rencontrèrent au-dessus de mon verre parce qu'il venait de faire un commentaire particulièrement pontifiant au sujet de la conscience métaphysique, en somme, je pourrais la lui prendre dès maintenant. Ses articles sont brochés, mes livres reliés en toile. Elle sait que je peux lui en apprendre plus que lui. Et pourtant, le pauvre diable, il avait l'aplomb de la rappeler dédaigneusement à l'ordre lorsqu'elle s'avisait de faire une simple remarque humaine, non intellectuelle. J'aurais voulu le mettre en garde contre le vide de l'avenir; au lieu de le faire, je bus une nouvelle consommation et dis :

— Je ne peux pas m'attarder. Il faut que j'assiste à des obsèques à Golders Green.

— Des obsèques à Golders Green ! s'écria Waterbury. Il pourrait s'agir d'un de vos personnages. Ce serait inévitablement Golders Green, n'est-ce pas ?

— Ce n'est pas moi qui ai choisi l'endroit.

— La vie imitant l'art.

— Quelqu'un de vos amis ? demanda Sylvia avec sympathie.

Et Waterbury la foudroya du regard, parce qu'elle était sortie du sujet.

— Oui.

Je voyais qu'elle faisait des suppositions: homme ou femme ? Quelle sorte d'amitié ? Et cela me faisait plaisir d'être pour elle un être humain, pas seulement un écrivain; un homme dont les amis mouraient et qui assistait à leur enterrement, qui ressentait de la joie et du chagrin, qui pourrait même avoir besoin de réconfort, au lieu de n'être qu'un artisan très habile, dont les œuvres contenaient sans doute plus de sympathie que celles de Mr Maugham, sans qu'on pût, bien entendu, les mettre au même rang que...

— Que pensez-vous de Forster ? me demanda Waterbury.

— Forster ? Oh ! excusez-moi. J'étais en train de me demander combien de temps il fallait pour aller à Golders Green.

— Il faut bien compter quarante minutes, dit Sylvia. Vous devez attendre la rame de métro qui va à Edgware.

— Forster ? répéta Waterbury avec agacement.

— Et puis, vous trouverez un autobus devant la gare, dit Sylvia.

— Vraiment, Sylvia ! Bendrix n'est pas venu ici pour discuter des moyens d'arriver à Golders Green.

— Je vous demande pardon, Peter, je pensais seulement...

— Comptez jusqu'à six avant de penser, Sylvia, dit Waterbury. Et maintenant pourrions-nous revenir à E. M. Forster ?

— Est-ce nécessaire ? demandai-je.

— Ce serait intéressant, étant donné que vous appartenez à deux écoles si différentes...

— Est-ce qu'il appartient à une école ? Je ne savais pas que j'appartenais à une école moi-même ! Ecrivez-vous un manuel ?

Sylvia sourit et il vit le sourire. Je sus dès ce moment qu'il préparait à mon usage ses flèches les plus acérées, mais cela m'est égal. L'indifférence et l'orgueil ont à peu près le même visage, il pensa sans doute que j'étais orgueilleux.

— Il faut que je parte, dis-je.

— Mais vous n'êtes resté que cinq minutes. Il est très important que j'aie tous les éléments nécessaires à cet article.

— Il est très important pour moi d'arriver à l'heure à Golders Green.

— Je ne vois pas pourquoi.

— Je vais moi-même jusqu'à Hampstead, dit Sylvia, et je vous mettrai dans le bon chemin.

— Première nouvelle, grogna Waterbury, l'air soupçonneux.

— Vous savez que je vais toujours voir ma mère le mercredi.

— Nous sommes mardi.

— Comme ça, je n'aurais pas besoin d'y aller demain.

— C'est très gentil de votre part, dis-je. Je serai ravi de votre société.

— Vous avez fait usage de la conscience métaphysique dans un de vos romans, dit Waterbury, avec la précipitation du désespoir, pourquoi avez-vous abandonné cette méthode?

— Oh! je ne sais pas. Pourquoi change-t-on la disposition d'un appartement?

— Avez-vous eu l'impression que c'était un échec?

— J'ai eu cette impression après chacun de mes livres. Allons, au revoir, Waterbury.

— Je vous enverrai une copie de l'article, dit-il, comme s'il proférait une menace.

— Merci.
— Ne sois pas en retard, Sylvia. Il y a Bartok à 6 h. 30, dans la troisième émission [1].

Nous partîmes ensemble parmi les décombres de Tottenham Court Road.

— Merci d'avoir mis fin à la petite fête, dis-je à Sylvia.
— Oh! je voyais bien que vous vouliez partir.
— Quel est votre nom de famille?
— Black.
— Sylvia Black, dis-je. C'est une bonne combinaison. Presque trop bonne.
— Etait-ce quelqu'un que vous aimiez beaucoup?
— Oui.
— Une femme?
— Oui.
— Je suis navrée, dit-elle.

Et j'eus l'impression qu'elle était sincère. Elle avait beaucoup à apprendre, en matière de livres, de musique, sur la façon de s'habiller et de parler, mais elle n'aurait jamais à prendre de leçons en sympathie humaine. Elle descendit avec moi dans le métro bondé et nous fîmes le voyage debout, accrochés aux courroies de cuir, côte à côte. En la sentant contre moi, le souvenir du désir me traversa. En serait-il désormais toujours ainsi? Plus de désir, mais seulement le souvenir du désir? Elle se tourna un peu à Goodge-Street pour faire place à un nouveau venu et le contact de sa cuisse contre ma jambe me fit l'effet d'une impression ressentie dans un passé lointain.

---

[1] Emission connue pour son caractère « intellectuel » à la BBC.

— Ce sont les premières obsèques auxquelles j'aie jamais assisté, dis-je pour dire quelque chose.
— Votre père et votre mère sont encore vivants, alors.
— Mon père vit encore. Ma mère est morte quand j'étais à l'école. J'avais espéré qu'on me donnerait quelques jours de vacances, mais mon père a pensé que je serais bouleversé, alors je n'y ai rien gagné du tout; sauf que j'ai été dispensé d'études, le soir où la nouvelle est arrivée.
— Je n'aimerais pas qu'on m'incinère, dit-elle.
— Vous préférez les vers?
— Oui, j'aime mieux ça.

Nos deux têtes étaient si rapprochées que nous pouvions parler sans élever la voix, mais nous ne pouvions pas nous regarder à cause de la foule qui nous pressait.

— Moi, dis-je, ça m'est tout à fait égal, l'un ou l'autre.

Et je m'étonnais aussitôt d'avoir pris la peine de mentir, car cela ne m'était pas égal; j'avais sûrement une préférence puisque, au bout du compte, c'est moi qui avais persuadé Henry de renoncer à l'enterrement.

CHAPITRE III

La veille, dans l'après-midi, Henry avait hésité. Il m'avait téléphoné pour me demander de traverser. C'est étrange comme notre intimité avait grandi depuis que Sarah n'était plus là. Il s'appuyait sur moi comme il s'était appuyé sur Sarah. J'étais chez lui comme chez moi. En fait, je me demandais s'il n'allait pas me proposer, après la cérémonie funèbre, de venir partager sa maison et quelle réponse je lui donnerais. S'il s'agissait d'oublier Sarah, il n'y avait pas la moindre différence entre les deux demeures, car elle avait appartenu aux deux.

Quand j'arrivai, Henry était encore plongé dans les brumes de son soporifique, sinon il m'aurait opposé plus de résistance... Dans le bureau, un prêtre était assis, le buste raide, sur l'extrême bord d'un fauteuil; c'était un homme au visage décharné et amer, probablement un des rédemptoristes qui distribuaient des portions d'enfer, chaque dimanche, dans l'église obscure où je m'étais séparé de Sarah pour la dernière fois. Il était visible qu'il avait éveillé l'hostilité d'Henry au premier contact, ce qui me fut d'un grand secours.

— Voici Mr Bendrix, l'écrivain, dit Henry. Le Père

Crompton. Mr Bendrix était un excellent ami de ma femme.

J'eus l'impression que le Père Crompton le savait déjà. Son nez tombait en corniche sur le bas de son visage et je pensai que c'était peut-être l'homme même qui avait fermé, en la faisant claquer, la porte de l'espoir à la figure de Sarah.

— Bonjour, dit le Père Crompton, avec une telle mauvaise volonté que je sentis la présence très proche du cierge et de la clochette.

— Mr Bendrix m'a beaucoup aidé pour toutes les formalités, expliqua Henry.

— Je m'en serais chargé à votre place bien volontiers si je l'avais su.

J'avais eu, à une certaine époque, de la haine pour Henry. Ma haine me semblait à présent puérile. Henry était une victime, comme j'étais moi-même une victime, et notre vainqueur était cet homme sinistre au faux col ridicule.

— Vous n'auriez sûrement pas pu le faire. Vous désapprouvez l'incinération, lui dis-je.

— J'aurais préparé des funérailles catholiques.

— Mrs Miles n'était pas catholique.

— Elle avait exprimé l'intention de le devenir.

— Cela suffisait-il pour qu'elle le fût?

Le Père Crompton sortit un imprimé. Il le posa à plat comme un billet de banque.

— Nous reconnaissons le baptême d'aspiration.

Le papier posé entre nous attendait qu'on le ramassât. Personne ne fit un mouvement. Le Père Crompton dit:

— Il est encore temps d'annuler vos dispositions.

Je prends tout sur moi, répéta-t-il, sur un ton d'objurgation, comme s'il s'adressait à lady Macbeth et lui proposait, pour se purifier les mains, un produit bien supérieur aux parfums de l'Arabie.

— Est-ce que cela fait une si grande différence? dit brusquement Henry. Naturellement, mon père, je ne suis pas catholique, mais je n'arrive pas à voir...

— Elle aurait été plus heureuse...

— Mais pourquoi?

— L'Eglise confère des privilèges, Mr Miles, aussi bien que des responsabilités. Il y a des messes spéciales pour nos morts. Des prières sont dites régulièrement. Nous nous rappelons nos morts, ajouta-t-il.

Et je pensai avec colère: « Comment vous les rappelez-vous? Vos théories sont excellentes. Vous prêchez l'importance de l'individu. Tous nos cheveux sont comptés, dites-vous, mais moi je sens les cheveux de Sarah sur le dos de ma main, je me rappelle le fin duvet qui couvrait le bas de son épine dorsale lorsqu'elle reposait, allongée sur le ventre, dans mon lit. Nous aussi, nous nous rappelons nos morts à notre manière. »

Voyant faiblir la volonté d'Henry, je mentis délibérément.

— Nous n'avons absolument aucune raison de penser qu'elle se serait convertie au catholicisme.

Henry commença:

— Evidemment, l'infirmière nous a dit...

Mais je l'interrompis:

— Sarah avait le délire, à la fin.

— Je n'aurais jamais songé à vous importuner,

Mr Miles, dit le Père Crompton, si je n'avais eu pour cela une raison sérieuse.

— J'ai reçu une lettre de Mrs Miles écrite moins d'une semaine avant sa mort, lui dis-je. Voici combien de temps que vous ne l'aviez vue?

— A peu près la même époque. Il y a cinq ou six jours.

— Il me semble très bizarre que dans sa lettre elle n'ait pas fait la moindre allusion à ce sujet.

— Peut-être, Mr... Mr Bendrix, ne se confiait-elle pas à vous.

— Peut-être, mon père, vous hâtez-vous un peu trop de tirer des conclusions. On peut s'intéresser à votre foi, vous poser des questions, sans souhaiter nécessairement se convertir au catholicisme.

Je m'attaquai vivement à Henry.

— Ce serait absurde de tout changer maintenant. Des instructions ont été données. Vos amis sont invités. Sarah n'a jamais été fanatique. Elle serait la dernière à vouloir causer le moindre embarras pour un simple caprice. Après tout, insistai-je en fixant Henry dans les yeux, ce sera une cérémonie absolument chrétienne. Non que Sarah fût même chrétienne. Nous n'en avons jamais vu les signes, en tout cas. Mais vous pourriez toujours donner au Père Crompton de l'argent pour dire une messe.

— Ce n'est pas nécessaire. J'en ai dit une ce matin.

Il fit un mouvement de ses mains posées sur ses genoux et ce fut la première faille dans sa rigidité: on eût dit une forte muraille qui se fend et s'incline après l'explosion d'une bombe.

Il ajouta :

— Je me souviendrai d'elle au cours de ma messe, chaque jour.

Henry répondit sur un ton de soulagement, comme si cela arrangeait tout :

— Vous êtes bien bon, mon père.

Et il déplaça une boîte à cigarettes.

— Cela semble une chose étrange et impertinente à dire en vous parlant, Mr Miles, mais je ne crois pas que vous ayez eu pleinement conscience que votre femme était une femme de bien.

— Elle était tout pour moi, dit Henry.

— Beaucoup de gens l'aimaient, ajoutai-je.

Le Père Crompton tourna les yeux vers moi comme un maître d'école qui vient d'entendre au fond de la classe une réflexion faite par un petit morveux.

— Peut-être pas assez.

— Eh bien! dis-je, pour en revenir à la question qui nous occupait, je ne pense pas, mon père, que nous puissions rien changer maintenant aux dispositions prises. En outre cela ferait jaser. Vous n'aimeriez pas que les gens jasent, n'est-ce pas, Henry?

— Non, oh! non.

— L'annonce est déjà dans le *Times*. Il faudrait faire insérer un rectificatif. Les gens remarquent ce genre de choses. Ce serait une source de commentaires. Et après tout, Henry, vous n'êtes pas un inconnu. Puis il faudrait envoyer des télégrammes. Un tas de gens ont déjà fait porter des couronnes au four crématoire. Vous voyez ce que je veux dire, mon père?

— Non, j'avoue que je ne vois pas.

— Ce que vous demandez est déraisonnable.
— Vous semblez posséder une étrange échelle des valeurs, Mr Bendrix.
— Mais vous ne croyez pas sérieusement que l'incinération affecte la résurrection des corps, mon père?
— Naturellement pas, je vous ai donné mes raisons; si elles ne paraissent pas assez fortes aux yeux de Mr Miles, il ne reste plus rien à dire.

Il quitta son fauteuil. Comme il était laid. Assis, il donnait du moins une impression de puissance, mais ses jambes étaient trop courtes pour son corps et, quand il se levait, il se révélait étonnamment petit. On eût dit qu'il avait brusquement reculé, à une longue distance.

— Si vous étiez venu un peu plus tôt, mon père, dit Henry. Je vous en prie, ne pensez pas...
— Je ne pense aucun mal de vous, Mr Miles.
— De moi, peut-être, mon père? demandai-je, avec une impertinence voulue.
— Oh! ne vous inquiétez pas, Mr Bendrix. Rien de ce que vous pouvez faire n'aura sur elle désormais le moindre effet.

Je suppose qu'au confessionnal on apprend à reconnaître la haine. Il tendit la main à Henry et me tourna le dos. J'aurais voulu lui dire: « Vous vous trompez à mon sujet. Ce n'est pas Sarah que je hais. Et vous vous trompez aussi sur Henry. C'est lui le corrupteur, ce n'est pas moi. » J'aurais voulu dire pour ma défense: « Je l'aimais », car ils doivent sûrement, dans le confessionnal, reconnaître aussi cette émotion-là.

CHAPITRE IV

— Hampstead est le prochain arrêt, dit Sylvia.
— Il faut que vous descendiez pour aller voir votre mère ?
— Je peux aller jusqu'à Golders Green pour vous montrer le chemin. En général, je ne vais pas la voir le mardi.
— Ce serait un acte de charité, dis-je.
— Je crois que vous serez forcé de prendre un taxi si vous voulez y être à l'heure.
— Je suppose que cela n'a pas beaucoup d'importance qu'on manque les premières répliques.

Elle m'accompagna jusqu'à la cour extérieure de la gare, et là, déclara qu'elle voulait s'en retourner. Il me parut étrange qu'elle se soit donné tant de peine. Je n'ai jamais vu en moi de qualités qui puissent attirer une femme, et maintenant moins que jamais. Le chagrin et les déceptions sont comme la haine : ils rendent laids à force d'amertume et d'apitoiement sur soi-même. Et comme ils nous rendent égoïstes, par surcroît ! Je n'avais rien à donner à Sylvia. Jamais je ne serais l'un de ses maîtres, mais comme j'avais peur de la demi-heure suivante, des visages qui allaient guetter ma solitude, en essayant de déduire de mon attitude la nature de mes rapports avec Sarah et lequel des deux avait abandonné l'autre, j'avais besoin de la beauté de Sylvia pour me soutenir.

— Mais je ne peux pas y aller habillée comme ça, s'écria-t-elle en protestation lorsque je la priai de m'accompagner.

Je voyais que j'aurais pu l'enlever à Waterbury à l'instant même. Son temps était accompli. Si j'avais voulu, il aurait écouté Bartok tout seul.

— Nous resterons au dernier rang, dis-je. Vous pourriez être quelqu'un du dehors qui se promène.

— Encore heureux qu'il soit noir, dit-elle, en faisant allusion à son pantalon.

Dans le taxi, j'avais posé ma main sur sa jambe, comme s'il se fût agi d'une promesse, mais je n'avais pas l'intention de tenir cette promesse. La tour du four crématoire fumait et sur les sentiers de gravier l'eau stagnait en flaques à demi gelées. Un groupe d'inconnus sortaient : les invités de l'incinération précédente, supposai-je ; ils avaient l'air vif et joyeux de gens qui ont pu s'évader d'une réception ennuyeuse et peuvent maintenant « aller ailleurs ».

— C'est par ici, dit Sylvia.

— Vous connaissez bien l'endroit.

— Papa a été brûlé ici, il y a deux ans.

Quand nous arrivâmes dans la chapelle, tout le monde partait. Les questions de Waterbury sur la conscience métaphysique m'avaient mis tout juste assez en retard. Je sentis un étrange et conventionnel serrement de cœur parce que je n'avais pas, après tout, accompagné

Sarah jusqu'au bout, et la pensée macabre me traversa que c'était sa fumée que le vent dispersait au-dessus des jardins banlieusards. Henry sortit tout seul, l'air aveugle; il avait pleuré et ne me vit pas. Lui mis à part, je ne connaissais personne excepté sir William Mallock qui portait un chapeau haut de forme. Il me jeta un regard désapprobateur et se hâta de quitter les lieux. Il y avait une douzaine d'hommes à l'allure de fonctionnaires. Dunstan y était-il ? Cela n'avait guère d'importance. Des femmes avaient accompagné leurs maris. Elles, du moins, étaient satisfaites de la cérémonie : cela se voyait presque, à leurs chapeaux. Sarah réduite en cendres, toutes les épouses se sentaient plus en sécurité.

— Je regrette beaucoup, dit Sylvia.
— Ce n'est pas votre faute.

Je pensais : « Si nous avions pu embaumer son corps, ces femmes ne seraient pas à l'abri, car même mort ce corps aurait servi d'objet de comparaison pour juger des leurs. »

Smythe sortit et s'éloigna rapidement, pataugeant dans les flaques et éclaboussant tout autour de lui, sans parler à personne. J'entendis une femme dire :

— Les Carter nous ont invités pour le week-end du 10.

— Voulez-vous que je m'en aille ? demanda Sylvia.
— Non, non. Je suis content de vous avoir avec moi.

J'allai jusqu'à la porte de la chapelle et regardai à l'intérieur. Le passage vers le four était momentanément vide, mais tandis qu'on emportait les vieilles couronnes, de nouvelles fleurs arrivaient. Une femme âgée était agenouillée en prière, et ce spectacle était aussi incongru que celui d'un acteur surpris sur la scène sans raison d'y être, parce qu'on a levé inopinément le rideau. Une voix bien connue se fit entendre dans mon dos :

— C'est un triste plaisir pour moi, monsieur, de vous voir *ici*, où ce qui est passé demeure toujours passé.

— Tiens, Parkis ! vous êtes venu ! m'écriai-je.

— J'ai lu l'annonce dans le *Times*, monsieur, et j'ai demandé à Mr Savage la permission de l'après-midi.

— Prolongez-vous toujours vos filatures jusqu'à ce point extrême ?

Il me répondit sur un ton de reproche :

— C'était une dame très bien, monsieur. Une fois, dans la rue, elle m'a demandé son chemin, sans savoir, naturellement, pourquoi je me trouvais là. Et, à sa réception, elle m'a tendu un verre de sherry.

— Du sherry sud-africain ? demandai-je, lamentablement.

— Je ne connais pas la différence, monsieur, mais l'allure qu'elle avait en le faisant... Oh ! il n'y a pas beaucoup de grandes dames comme ça ! Mon petit garçon lui-même... il n'arrête pas de parler d'elle.

— Comment va-t-il votre petit garçon, Parkis ?

— Pas bien, monsieur. Pas bien du tout. Très violentes douleurs de ventre.

— Vous avez vu un docteur ?

— Pas encore. Je suis d'avis de laisser agir la nature. Jusqu'à un certain point.

Je me retournai pour regarder le groupe d'inconnus qui avaient tous connu Sarah.
— Qui sont ces gens, Parkis? demandai-je.
— La jeune femme, je ne la connais pas, monsieur.
— Elle est avec moi.
— Ah! je vous demande pardon. A l'horizon, c'est sir William Mallock.
— Je le connais.
— Et le monsieur qui vient d'éviter de justesse une flaque de boue est le directeur du service de Mr Miles.
— Dunstan?
— Oui, monsieur, c'est ce nom-là.
— Comme vous en savez des choses, Parkis.

J'avais cru ma jalousie tout à fait morte; je m'étais cru disposé à partager Sarah avec un monde d'hommes, si seulement elle pouvait être vivante, mais la vue de Dunstan éveilla en moi pendant quelques secondes l'ancienne haine.
— Sylvia, appelai-je, comme si Sarah avait pu m'entendre, êtes-vous libre, ce soir, pour dîner?
— J'ai promis à Pierre...
— Pierre...
— Waterbury.
— Oubliez-le.

« Es-tu ici? Me surveilles-tu? demandai-je à Sarah. Vois comme je me passe de toi. Ce n'est pas si difficile », lui dis-je. Ma haine pouvait croire à sa survie: seul mon amour savait qu'elle n'existait pas plus qu'un oiseau mort.

Un nouveau cortège funèbre se groupait, et la femme agenouillée près de la grille se releva toute confuse à la vue des étrangers qui entraient. Elle avait failli se laisser prendre dans une incinération inconnue.

— Je pourrais peut-être lui téléphoner.

La haine pesait aussi lourd que l'ennui sur la soirée qui se préparait. Je venais de m'engager: sans amour, il me faudrait accomplir les gestes de l'amour. Je me sentais coupable avant d'avoir commis le crime, le crime d'attirer une innocente dans mon labyrinthe personnel. L'acte sexuel peut n'être rien, mais lorsqu'on arrive à mon âge, on apprend qu'un beau jour il peut être tout. J'étais à l'abri, moi, mais qui pouvait savoir quelle névrose j'allais peut-être éveiller chez cette petite? A la fin de la soirée, je ferais l'amour maladroitement et ma maladresse même, voire mon impuissance si je me révélais impuissant, m'assurerait l'avantage, ou bien je ferais l'amour en expert et la petite serait à la merci de mon expérience. J'implorai Sarah: « Tire-moi de ce danger, aide-moi à m'en sortir, pour cette jeune fille, pas pour moi. »

— Je lui raconterai que maman était malade, dit Sylvia.

Elle était prête à mentir: c'en était fait de Waterbury. Pauvre Waterbury! Ce premier mensonge allait faire de nous deux complices. En la voyant debout, vêtue de son pantalon noir, au milieu des flaques gelées, je pensais: « Voici qui pourrait être le début de tout un long avenir. » J'implorai Sarah: « Fais-moi sortir de là. Je ne veux pas tout recommencer et je ne veux pas lui faire de mal. Je ne suis plus capable d'amour. Sauf pour toi, sauf pour toi... » tandis que la vieille femme grise s'avançait vers moi en zigzaguant sur la glace mince qui craquait sous ses pas.

— Etes-vous Mr Bendrix ? demanda-t-elle.
— Oui, madame.
— Sarah m'a dit... commença-t-elle.

Et pendant qu'elle hésitait, il me vint l'espoir insensé qu'elle avait un message à me transmettre et que les morts pouvaient parler.

— Vous étiez son meilleur ami, elle me l'a souvent dit.
— J'étais un de ses amis.
— Je suis sa mère.

Je ne me rappelais même pas que sa mère fût encore en vie : pendant toutes ces années nous avions toujours eu tant de choses à nous dire qu'il restait dans nos deux vies comme dans les premières cartes géographiques de vastes « taches blanches » destinées à être remplies plus tard.

— Vous ignoriez mon existence, n'est-ce pas ?
— J'avoue que...
— Henry ne m'aimait guère. Cela rendait les choses difficiles, alors je me tenais à l'écart.

Elle parlait d'une façon calme et pondérée, et pourtant des larmes jaillissaient de ses yeux comme de leur propre initiative.

Les messieurs avec leurs épouses avaient tous quitté la place, et des inconnus passaient entre nous, en cherchant où poser les pieds pour se rendre à la chapelle. Seul Parkis s'attardait, pensant, je suppose, qu'il pourrait encore me rendre service en me fournissant d'autres renseignements, mais il ne s'approchait pas de nous, car il savait — comme il l'aurait dit — se tenir à sa place.

— J'ai un grand service à vous demander, me dit la mère de Sarah. (J'essayais de me rappeler son nom: Cameron, Chandler, cela commençait par un C.) Je suis venue de Great Missenden aujourd'hui, avec tant de précipitation...

Elle essuya les larmes qui lui coulaient des yeux avec la même indifférence qu'elle aurait mise à épousseter un meuble. « Bertram, pensais-je, voilà comment elle s'appelle, Bertram. »

— Oui, Mrs Bertram? dis-je.

— Et j'ai oublié de mettre de l'argent dans mon sac noir.

— Je suis à votre disposition.

— Si vous vouliez bien me prêter une livre, Mr Bendrix. Voyez-vous, il faut que je dîne à Londres avant de repartir. C'est le jour où tout est fermé à Great Missenden.

Et elle s'essuya les yeux de nouveau, tout en parlant. Quelque chose dans sa façon d'être me rappela Sarah; cette absence d'affectation dans son chagrin, une certaine ambiguïté. Avait-elle « tapé » Henry une fois de trop?

— Voulez-vous dîner avec moi de très bonne heure?

— Je ne veux pas vous imposer cette corvée.

— J'aimais Sarah, dis-je.

— Moi aussi.

Je retournai vers Sylvia.

— C'est sa mère, lui expliquai-je. Il a fallu que je l'invite à dîner. Excusez-moi. Puis-je vous téléphoner pour prendre un autre rendez-vous?

— Bien sûr.

— Etes-vous dans l'annuaire ?
— Waterbury y est, dit-elle avec mélancolie.
— La semaine prochaine.
— Je serais ravie.
Elle me tendit la main en disant :
— Au revoir.

Je vis qu'elle savait bien qu'il s'agissait d'une de ces choses qui ont failli être et qui ont raté. Dieu merci, cela n'importait guère : un léger regret, un peu de curiosité jusqu'à la gare du métro, un mot désagréable à Waterbury en écoutant Bartok. Revenant à Mrs Bertram, je me surpris une fois de plus en train de parler à Sarah : « Tu vois, je t'aime. » Mais l'amour n'avait pas autant que la haine la certitude de se faire entendre.

Quand nous approchâmes des grilles extérieures du crématorium, je remarquai que Parkis s'était éclipsé. Je ne l'avais pas vu partir. Il avait dû se rendre compte que je n'avais plus besoin de lui.

J'emmenai Mrs Bertram dîner au restaurant Isola Bella. Je me gardai bien de choisir un endroit que nous eussions fréquenté, Sarah et moi, mais naturellement je me mis aussitôt à comparer ce restaurant avec ceux où nous allions toujours ensemble. Nous ne buvions jamais de chianti, elle et moi, le fait d'en commander pour ce repas me le remit en mémoire. J'aurais pu aussi bien boire notre bordeaux préféré, je n'aurais pas eu l'esprit plus occupé d'elle. Son souvenir emplissait jusqu'aux moindres vides.

— Je n'ai pas aimé la cérémonie.
— J'en suis navré.

— C'était si inhumain. Cela faisait penser à une courroie de transmission.

— A moi, elle m'a paru très convenable. Après tout, on a dit des prières.

— Ce pasteur... Etait-ce vraiment un pasteur ?

— Je ne l'ai pas vu.

— Il a parlé du Grand Tout. Pendant un long moment je n'ai pas compris. Je croyais qu'il disait le Grand Loup. (Elle se remit à pleurer dans sa soupe.) J'ai failli éclater de rire et Henry m'a vue. J'ai très bien compris qu'il en prenait note et qu'il me blâmait.

— Vous ne vous entendez pas bien avec lui ?

— Henry est un pingre, monsieur. (Elle s'essuya les yeux sur sa serviette et agita bruyamment sa cuiller dans sa soupe pour faire remonter les pâtes.) Un jour, j'ai été forcée de lui emprunter dix livres parce que j'étais venue pour quelques jours à Londres et que j'avais oublié mon sac. Cela peut arriver à tout le monde.

— Certes.

— Je peux me vanter de n'avoir pas un sou de dette, au monde.

Sa conversation ressemblait au système de circulation du métro. Elle se déplaçait en cercles et en huit. Au café, je commençais à en connaître les gares de croisement. La ladrerie d'Henry, sa propre intégrité en matière d'argent, son amour pour sa fille, le mécontentement que lui avaient causé les obsèques, le Grand Tout, et là certains trains bifurquaient vers Henry.

— C'était tellement drôle, répétait-elle. Je n'avais pourtant pas envie de rire. Personne n'a aimé Sarah autant que je l'aimais.

Comme nous avons tous, toujours, cette prétention, et comme cela nous irrite de l'entendre émettre par d'autres lèvres que les nôtres !

— Mais Henry n'est pas capable de le comprendre. C'est un homme froid.

Je fis un grand effort pour remettre en place les aiguillages.

— Je ne vois pas quelle autre cérémonie nous aurions pu avoir.

— Sarah était catholique, dit-elle.

Elle saisit son verre de porto et en avala la moitié, d'un trait.

— Quelle folie !

— Oh ! répliqua Mrs Bertram, elle ne le savait même pas.

Tout à coup, inexplicablement, j'eus une sensation de peur, comme un homme qui, ayant commis un crime presque parfait, vient d'apercevoir la première fêlure inattendue dans l'édifice de ses mensonges. Quelle est la profondeur de la faille ? Sera-t-il possible de la calfater à temps ?

— Je ne comprends pas un mot de ce que vous dites.

— Sarah ne vous a jamais raconté que j'étais catholique, jadis ?

— Non.

— Je n'ai jamais été une très bonne catholique, parce que mon mari avait tout ça en horreur. J'étais sa troisième femme, et quand je me mettais en colère contre lui, la première année, je lui disais que nous n'étions pas réellement mariés... C'était un pingre... ajouta-t-elle, mécaniquement.

— Que vous ayez été catholique ne fait pas que Sarah le soit.

Elle but une nouvelle rasade de porto.

— Je n'en ai jamais parlé à âme qui vive, dit-elle. Je crois que je suis un peu noire. Croyez-vous que j'aie trop bu, Mr Bendrix ?

— Bien sûr que non. Un autre porto ?

Pendant que nous attendions le vin, elle essaya de détourner la conversation, mais je la ramenai au sujet principal, impitoyablement.

— Que voulez-vous dire, quand vous affirmez que Sarah était catholique ?

— Promettez-moi de ne pas le dire à Henry.

— Promis.

— A cette époque-là, nous étions en Normandie. Sarah avait un peu plus de deux ans. Mon mari, lui, allait à Deauville. Du moins, c'est ce qu'il me disait, mais je savais qu'il fréquentait encore sa première femme. J'étais furieuse contre lui. J'emmenai Sarah faire une promenade le long de la grève. La petite voulait toujours s'asseoir. Je la laissais se reposer un instant et puis je la faisais marcher un peu. Je lui disais : « Sarah, ceci est un secret entre toi et moi. » Elle aimait déjà les secrets, quand ça l'amusait de les garder. J'avais peur, ça je vous le jure, mais la vengeance était rudement bonne, vous ne trouvez pas ?

— La vengeance ? Je ne vous comprends pas très bien, Mrs Bertram.

— C'était pour me venger de mon mari, bien entendu. Oh ! pas seulement à cause de sa première femme. Je vous ai déjà raconté, n'est-ce pas, qu'il ne voulait pas que je pratique la religion catholique. Ah! il m'en faisait des scènes si j'essayais d'aller à la messe... Alors, j'ai pensé : « Ma fille sera catholique, il ne le saura pas et je ne le lui dirai que le jour où je serai vraiment en colère. »

— Et vous ne lui avez rien dit ?
— Non, il m'a plaquée un an après.
— Alors, vous avez pu redevenir catholique.
— Oh! vous savez, au fond, je ne croyais pas à grand-chose. Et puis j'ai épousé un juif et lui aussi faisait des difficultés. On dit que les juifs sont généreux. N'en croyez rien. C'était un homme très serré.
— Mais que s'est-il passé sur la plage ?
— Ça ne s'est pas passé exactement sur la plage. Je voulais dire seulement que nous sommes parties par là. J'ai laissé Sarah près de la porte et je suis allée trouver le prêtre. Il a fallu que je lui raconte plusieurs mensonges — des mensonges blancs, bien entendu — pour expliquer les choses. J'ai tout mis sur le dos de mon mari, comme vous le pensez. Qu'il avait promis avant notre mariage et qu'il n'avait pas tenu sa promesse. Je ne savais que quelques mots de français et ça m'aidait beaucoup. On a l'air merveilleusement sincère quand on ne connaît pas les mots qu'il faut. En tout cas, il l'a fait sur-le-champ et nous avons pu attraper l'omnibus pour rentrer déjeuner.
— Il a fait quoi ?
— Il l'a baptisée.
— C'est tout ? demandai-je, soulagé.
— Mais c'est un sacrement, ou du moins, ils le disent.

— J'avais cru au début, d'après ce que vous disiez, que Sarah était catholique.

— Elle l'était, vous le voyez, mais sans le savoir. Je regrette beaucoup qu'Henry ne lui ait pas donné un enterrement convenable, dit Mrs Bertram, donnant de nouveau libre cours à son grotesque ruissellement de larmes.

— Vous ne pouvez pas en vouloir à Henry, si Sarah elle-même l'ignorait.

— J'ai toujours eu l'espoir que cela avait « pris », comme un vaccin.

— Cela ne semble guère avoir « pris » sur vous! dis-je.

Je n'avais pas pu résister, mais elle n'en fut pas offensée.

— Oh! moi, dit-elle, j'ai eu tellement de tentations dans ma vie. J'espère qu'à la fin tout s'arrangera. Sarah était très patiente avec moi. C'était une bonne fille. Personne ne l'appréciait autant que moi.

Elle but encore un peu de vin et ajouta:

— Si seulement vous l'aviez bien connue. Moi, je crois, du fond de mon cœur, que si elle avait été élevée de la bonne manière, si je ne m'étais pas mariée avec des hommes aussi pingres, Sarah aurait été une sainte.

— Oui, mais ça n'a pas « pris », dis-je avec violence.

Et j'appelai le garçon pour réclamer l'addition. L'aile d'une de ces oies grises qui, selon le dicton, survolent nos tombes futures venait de me faire passer un frisson le long de l'échine; à moins que je n'eusse pris un refroidissement dans l'enclos plein de flaques gelées:

s'il pouvait seulement être mortel, comme il l'avait été pour Sarah !

« Cela n'a pas pris », me répétai-je, chemin faisant, en rentrant chez moi par le métro, après avoir déposé Mrs Bertram à Marylebone et lui avoir prêté trois autres livres (parce que c'est demain mercredi et il faut que je reste chez moi à cause de la femme de ménage). Pauvre Sarah ! Ce qui avait « pris » c'était cette kyrielle de maris et de beaux-pères. Sa mère lui avait enseigné par l'exemple qu'un seul homme ne suffit pas à remplir une vie, mais elle avait percé à jour l'hypocrisie des mariages de sa mère. Quand elle avait épousé Henry, ç'avait été pour toute sa vie, ainsi que je l'avais appris pour mon désespoir.

Mais cette sagesse n'avait rien à voir avec la cérémonie qui s'était déroulée près de la plage. « Ce n'est pas Vous qui avez « pris », disais-je, m'adressant au Dieu en qui je ne croyais pas, à ce Dieu imaginaire dont Sarah s'imaginait qu'il m'avait sauvé la vie (je me demandais à quelle fin !) et qui, sans même exister, avait détruit le seul profond bonheur que j'eusse jamais connu ; oh ! non, ce n'est pas Vous qui avez « pris », car c'eût été de la magie et je crois encore moins à la magie que je ne crois en Vous : à la magie appartiennent votre croix, votre résurrection des corps, votre sainte Eglise catholique, votre communion des saints. »

Allongé sur le dos, je regardais jouer sur mon plafond l'ombre des arbres des Allées. « Ce n'est qu'une coïncidence, pensais-je, une horrible coïncidence qui a failli la ramener vers Vous, à la fin. Vous ne pouvez marquer pour la vie une enfant de deux ans à l'aide d'un peu d'eau et d'une prière. Si je commençais à croire à cela, je croirais au corps et au sang. Vous ne l'avez pas possédée pendant toutes ces années: c'est moi qui la possédais. Vous avez gagné, en définitive, Vous n'avez pas besoin de me le rappeler, mais elle ne me trompait pas avec Vous aux moments où elle était couchée ici avec moi, dans ce lit, avec cet oreiller sous le dos. Quand elle dormait, c'est moi qui étais près d'elle, pas Vous. C'est moi qui la pénétrais, pas Vous. »

Toutes les lumières s'éteignirent, les ténèbres couvrirent le lit, et je rêvai que j'étais dans une foire, un revolver à la main. Je tirais sur des bouteilles qui paraissaient être en verre, mais mes balles rebondissaient comme si ce verre eût été revêtu d'acier. Je tirais, je tirais, sans pouvoir briser une seule bouteille, et quand je m'éveillai à cinq heures du matin, ce fut avec la même pensée en tête: pendant toutes ces années, tu as été à moi, pas à Lui.

CHAPITRE V

J'avais cru faire une plaisanterie macabre en imaginant qu'Henry me proposerait sans doute de partager sa maison. Je ne m'y attendais pas réellement et lorsqu'il me fit cette offre, je fus pris par surprise. Même sa visite, une semaine après les obsèques, était inattendue: il n'était jamais entré chez moi. Je doute qu'il se soit jamais approché du versant sud des Allées, si ce n'est le soir où je l'avais rencontré sous la pluie. J'entendis sonner à ma porte et je regardai par la fenêtre, car je ne voulais recevoir personne. Je pensais que c'était peut-être Waterbury accompagné de Sylvia. Le réverbère qui se trouve sur le trottoir, près du platane, me révéla le chapeau noir d'Henry. Je descendis pour lui ouvrir.

— Je passais devant chez vous, dit-il mensongèrement.

— Entrez.

Il resta debout à fureter d'un air gauche, tandis que je sortais d'un placard une bouteille et des verres.

— Vous paraissez vous intéresser beaucoup au général Gordon.

— On m'a demandé d'écrire sa vie.

— Et vous allez le faire?
— Probablement. Je ne suis pas très disposé à travailler ces temps-ci.
— Moi non plus, dit Henry.
— Est-ce que la commission royale siège encore?
— Oui.
— Cela donne de quoi s'occuper l'esprit.
— Vous croyez? Oui, peut-être que oui. Jusqu'à ce qu'on s'arrête pour aller déjeuner.
— C'est un travail important, en tout cas. Voici votre verre.
— Cela ne changera pas une virgule dans la vie de qui que ce soit.

Quelle longue route Henry avait parcourue depuis l'époque où la photographie de l'homme si content de soi m'avait tellement horripilé dans le *Tatler*. J'avais sur mon bureau une photographie de Sarah, l'agrandissement d'un instantané, et je l'avais retournée face contre table. Henry la remit dans le bon sens:
— Je me rappelle quand j'ai pris cette photo, dit-il.

Sarah m'avait raconté que le cliché avait été tiré par une amie. Je pense qu'elle avait menti pour épargner ma susceptibilité. Elle avait, sur cette image, un air plus jeune et plus heureux, mais elle n'était pas plus belle que pendant les années où je l'avais connue. J'aurais voulu mettre cette expression sur son visage, mais c'est la destinée d'un amant de voir le malheur se durcir comme un moulage autour de sa maîtresse.
— J'avais fait l'imbécile, dit Henry, pour la forcer à sourire. Le général Gordon est-il un personnage intéressant?

— Par certains côtés, oui.

— Ma maison me fait un effet bizarre ces jours-ci, dit Henry. J'essaie d'en sortir le plus possible. Vous ne seriez pas libre pour venir dîner à mon cercle, par hasard?

— J'ai du travail: une masse de choses à terminer.

Son regard fit le tour de la pièce.

— Vous n'avez pas beaucoup de place pour vos livres, ici, dit-il.

— Non, je suis forcé d'en mettre sous mon lit.

Il ouvrit un magazine que Waterbury m'avait envoyé avant son interview pour me donner un exemple de son travail, et dit:

— Il y a de la place dans ma maison. Vous pourriez disposer presque entièrement d'un étage.

J'étais trop surpris pour répondre. Il enchaîna immédiatement, en tournant les pages du magazine, comme s'il prenait fort peu d'intérêt à sa propre suggestion:

— Prenez le temps d'y réfléchir. Il ne faut pas vous décider tout de suite.

— C'est très gentil de votre part, Henry.

— Vous me rendriez service.

Je pensais: pourquoi pas? Les écrivains ont la réputation de vivre sans préjugés. En aurais-je davantage qu'un haut fonctionnaire du gouvernement?

— J'ai rêvé de nous trois, la nuit dernière, dit Henry.

— Ah! oui?

— Je ne me rappelle pas très bien. Nous buvions ensemble. Nous étions heureux. Quand je me suis éveillé, j'avais oublié qu'elle était morte.

— Je ne rêve jamais d'elle maintenant.

— J'aurais dû laisser ce prêtre faire ce qu'il voulait.
— Ç'aurait été absurde, Henry. Elle n'était pas plus catholique que vous ou que moi.
— Croyez-vous à la survie, Bendrix?
— Si vous voulez parler de la survie personnelle, non.
— Il est impossible de le réfuter.
— Il est à peu près impossible de réfuter quoi que ce soit. J'écris un roman. Comment pouvez-vous prouver que les événements que je rapporte ne se sont jamais produits, que les personnages ne sont pas réels? Ecoutez: Ce matin, j'ai rencontré sur les Allées un homme qui avait trois jambes.
— Comme c'est horrible, dit Henry, avec sérieux. Un monstre?
— Et ses jambes étaient couvertes d'écailles de poisson.
— Vous plaisantez.
— Prouvez que je plaisante, Henry. Vous ne pouvez pas plus réfuter mon histoire que je ne puis nier — avec preuves à l'appui — l'existence de Dieu. Mais je sais que Dieu est un mensonge, de la même façon que vous savez que mon histoire est fausse.
— Naturellement, il y a des arguments.
— Oh! je pourrais sans doute inventer à l'appui de mon apologue des arguments philosophiques tirés d'Aristote.
Henry revint brusquement à sa première idée:
— Vous feriez de petites économies si vous veniez vivre avec moi. Sarah disait toujours que vos livres n'avaient pas le succès qu'ils auraient dû avoir.

— Oh! l'ombre du succès commence à tomber sur eux, dis-je, en pensant à l'article de Waterbury. Il arrive un moment où l'on peut entendre les critiques littéraires bien connus tremper leur plume dans l'encre laudative... avant même que le livre suivant soit écrit. Ce n'est qu'une question de temps.

Je parlais, parce que je n'avais pas encore pris de décision.

— J'espère que vous ne m'en voulez plus, Bendrix. Je me suis mis en colère contre vous, dans le salon de votre cercle, au sujet de cet homme. Mais quelle importance ces choses ont-elles à présent?

— J'étais dans mon tort. Cet homme n'est qu'un rationaliste qui l'intéressait en lui exposant des théories. Oubliez cela, Henry.

— C'était une femme de bien, Bendrix. Les gens bavardent, mais elle était vertueuse. Ce n'était pas sa faute si je n'ai jamais pu... disons, l'aimer comme il fallait. Vous savez que je suis affreusement prudent, méticuleux; je n'ai pas les qualités d'un amant. Il lui aurait fallu quelqu'un comme vous.

— Elle m'a quitté. Elle aimait le changement, Henry.

— Savez-vous qu'un jour j'ai lu un de vos livres, Sarah me l'a fait lire. Vous décriviez une maison après la mort d'une femme qui l'habitait.

— *L'Hôte ambitieux.*

— C'est ce titre-là. Cela m'avait paru très bien à l'époque. J'avais l'impression que c'était si plausible, et pourtant, Bendrix, ce que vous dites là-dedans est faux. Vous racontez que le mari trouve tout terriblement vide; il se promène à travers les chambres, change les chaises de place, essaie de se donner l'illusion qu'il y a quelqu'un avec lui. Il lui arrive même de remplir deux verres lorsqu'il veut boire.

— Je ne me le rappelais plus. Quand vous le dites, cela me semble un peu littéraire.

— C'est tout à fait à côté de la vérité, car le terrible, justement, c'est que la maison ne paraît pas vide. Voyez-vous, certains jours, quand je rentrais du bureau, il arrivait que Sarah fût sortie, peut-être était-elle chez vous. J'appelais et ne recevais pas de réponse. C'est alors que la maison était vide. Je n'aurais pas été surpris de constater que les meubles avaient été déménagés. Vous savez que je l'aimais, à ma manière, Bendrix. Ces derniers mois, chaque fois qu'en rentrant à la maison j'apprenais qu'elle était sortie, je craignais de trouver une lettre d'elle à mon adresse. *Cher Henry...* vous savez, le genre de choses qu'on lit dans les romans.

— Oui.

— Mais, aujourd'hui, la maison n'a plus cette façon-là d'être vide. Je ne sais pas comment l'expliquer. Parce que Sarah en est définitivement partie, elle n'est jamais sortie. Je veux dire qu'elle n'est jamais ailleurs. Elle n'est pas en train de déjeuner avec quelqu'un, elle n'est pas au cinéma avec vous. Elle ne peut donc être qu'à la maison.

— Mais où est *sa* maison? dis-je.

— Ah! Bendrix, il faut que vous me pardonniez. Je suis fatigué, à bout de nerfs. Je ne dors pas bien. Comprenez que, faute de lui parler à elle, je ne puis m'empêcher de parler d'elle, et je n'ai que vous.

— Elle avait des quantités d'amis. Sir William Mallock, Dunstan...
— Je ne peux pas leur parler d'elle. Pas plus que je n'en parlerais à ce type du nom de Parkis.
— Parkis! m'écriai-je. (S'était-il installé dans nos vies pour toujours?)
— Il m'a raconté qu'il était venu à l'un de nos cocktails. Sarah ramassait toujours de drôles de gens. Il prétend que vous le connaissez aussi.
— Que diable vous voulait-il?
— Il m'a dit qu'elle avait été bonne pour son petit garçon. Dieu sait quand! Le gosse est malade. J'ai compris que Parkis désirait un souvenir d'elle: je lui ai donné un ou deux vieux livres qu'elle avait quand elle était petite. J'en ai trouvé des quantités dans sa chambre, entièrement crayonnés par elle. C'était un bon moyen de m'en débarrasser au lieu de les vendre au bouquiniste. Je n'y vois rien de mal, et vous?
— Moi non plus. C'est l'homme par qui je la faisais suivre. Il travaille pour l'agence de police privée Savage.
— Bon Dieu! Si j'avais su... Mais il semblait avoir de l'affection pour Sarah.
— Parkis est humain, il est facile à émouvoir.
Je regardai autour de moi: Sarah ne serait pas plus présente chez Henry que dans ma chambre; moins peut-être, car là-bas sa présence serait dispersée.
— J'irai habiter avec vous, Henry, à condition que vous me laissiez payer mon loyer.
— J'en suis bien content, Bendrix. Mais je suis propriétaire de l'immeuble. Vous paierez votre part d'impôts.

— Et vous m'avertirez trois mois d'avance pour que je trouve un nouveau gîte, quand vous vous remarierez.
Il me prit au sérieux.
— Jamais je n'en aurai le désir. Je ne suis pas fait pour le mariage. J'ai porté un grand préjudice à Sarah en l'épousant. Je le sais maintenant.

CHAPITRE VI

Je me transportai donc sur le versant nord des Allées. J'abandonnai une semaine de loyer parce que Henry voulait que je vienne immédiatement et le camion qui emporta mes papiers et mes vêtements me coûta cinq livres. Je disposais de la chambre d'amis et d'une chambre de débarras qu'Henry me fit arranger en bibliothèque, avec une salle de bains à l'étage supérieur. Henry s'était installé dans son vestiaire et il quitta la chambre aux deux lits jumeaux glacés que le ménage avait occupée; elle devint une chambre d'amis où nul ami ne vint jamais. Au bout de quelques jours, je commençai à comprendre ce qu'Henry avait à l'esprit lorsqu'il disait que la maison n'était jamais vide. Je travaillais au British Museum jusqu'à l'heure de la fermeture, je rentrais et j'attendais Henry; nous ressortions ensemble pour aller boire aux Armes-de-Pontefract. Une fois qu'Henry s'était absenté pour quelques jours parce qu'il participait à une conférence à Bournemouth, je ramenai chez moi une fille de trottoir. Cela resta sans effet. Je m'aperçus tout de suite que j'étais impuissant. Pour épargner son amour-propre, je lui racontai que j'avais promis à une femme aimée de ne jamais faire cela avec une autre. Elle fut très gentille et pleine de sympathie; les prostituées ont beaucoup de respect pour le sentiment. Ce jour-là, je n'avais pas agi dans l'intention de me venger; je ne ressentis que de la tristesse à l'idée qu'il me fallait renoncer pour toujours à ce qui m'avait causé tant de joie. Je rêvai de Sarah tout de suite après: nous étions couchés ensemble dans mon ancienne chambre, au sud des Allées, mais là encore rien ne se produisait. Toutefois, nous n'en éprouvions pas de tristesse; nous étions heureux et sans regrets.

Ce fut quelques jours plus tard que j'ouvris la porte d'un placard de ma chambre et que je trouvai une pile de vieux livres d'enfants. Henry avait dû fouiller dans ce placard, à l'intention du fils de Parkis. Il y avait plusieurs recueils de contes de fées par Andrew Lang, sous leurs couvertures en couleurs, de nombreux Beatrix Potter, *The Children of the New Forest, The Golliwog at the North Pole*, et quelques livres moins enfantins: *Last Expedition* du Capitaine Scott et les *Poèmes* de Thomas Hood; ce dernier, relié à la façon des prix scolaires, renfermait une étiquette indiquant qu'il avait été attribué à Sarah Bertram pour ses connaissances en algèbre. En algèbre! Comme on change.

Je ne pus travailler ce soir-là. Je m'étendis sur le parquet, au milieu des livres, et j'essayai de retracer quelques lignes au moins des « taches blanches » de la vie de Sarah. Il y a des moments où, jaloux des années qu'il n'a pas partagées, l'amant aspire à être aussi un père et un frère. Le *Golliwog au Pôle Nord* était sans doute le premier livre ayant appartenu en propre à Sarah, car il était couvert dans tous les sens, aux crayons de couleur, de griffonnages sans signification, répondant seulement à un besoin de détruire. Dans un des ouvrages de Beatrix Potter, son nom était inscrit au crayon en capitales avec l'une de celles-ci à l'envers, de sorte qu'on lisait SAЯAH. Dans *Les Enfants de la Nouvelle Forêt* elle avait écrit très soigneusement et proprement: « Ce livre appartient à Sarah Bertram. Si vous le voulez, on vous le prêtera, mais si vous le volez, un grand malheur vous frappera. » C'étaient les maximes tracées dans leurs livres par tous les enfants du monde: empreintes aussi anonymes que les traces de pattes laissées par les oiseaux sur le sol en hiver. Quand je refermai le livre, ces empreintes furent aussitôt effacées par le souffle du temps.

Je doute qu'elle ait jamais lu les poèmes de Hood: les pages en étaient aussi nettes qu'au moment où la directrice de l'école, ou l'invité d'honneur, lui avait tendu le volume. En fait, quand je le remis dans le placard, un feuillet imprimé qui paraissait être le programme de cette distribution des prix tomba sur le tapis. D'une écriture que je reconnus (mais même notre écriture est d'abord jeune pour s'alourdir ensuite des arabesques lasses du temps) était inscrit ce commentaire: « Quelles âneries ! » J'imaginais fort bien Sarah écrivant ces deux mots et les montrant à sa voisine, tandis que la directrice se rasseyait, respectueusement applaudie par les parents d'élèves. Je ne sais pas pourquoi, une autre de ses exclamations me revint à l'esprit en lisant cette phrase d'écolière avec toute son impatience, son incompréhension et son assurance : « Je suis un fantoche, un faux-jeton, une imposture. » Ce que je tenais entre mes mains, c'était la candeur. Comme il semblait dommage qu'elle eût vécu vingt années de plus pour en arriver à penser cela d'elle-même. Fantoche, faux-jeton. Etait-ce moi par hasard qui lui avais lancé ces épithètes dans un moment de colère ? Elle avait toujours soigneusement retenu mes critiques ; seules mes louanges glissaient sur elle comme de la neige.

Je tournai la page et lus le programme du 23 juillet 1923 : *Water Music* de Haendel, joué par miss Duncan R.C.M. ; *I wandered lonely as a cloud* déclamé par Beatrice Collins ; *Vieux airs élisabéthains* par la Chorale de l'école ; *Valse de Chopin en la mineur* exécutée au violon par Mary Pippitt. Le long après-midi d'été d'il y a vingt ans étirait jusqu'à moi ses ombres et je haïssais la vie qui nous transforme ainsi pour le pire. « Cet été-là, pensai-je, je venais de commencer mon premier roman : je m'étais mis au travail, débordant d'exaltation, d'ambition, d'espoir. J'ignorais l'amertume ; j'étais heureux. » Je remis le feuillet dans le livre qui n'avait pas été lu et que je lançai tout au fond du placard, derrière le *Golliwog* et les *Beatrix Potter*. Nous avions été heureux tous les deux, séparés seulement par dix années et quelques kilomètres, et nous ne nous étions rencontrés plus tard que pour nous infliger l'un à l'autre tant de souffrance. J'ouvris *La Dernière Expédition* de Scott.

Ç'avait été l'un de mes livres préférés. Il me parut étrangement désuet : cet héroïsme devant un ennemi qui n'était que la glace, cette abnégation qui n'entraînait d'autre mort que la sienne propre. Deux guerres se dressaient entre ces gens et nous. Je regardai leurs photographies: barbes et grosses lunettes, petits tumuli de neige, drapeau britannique, poneys aux longues crinières évoquant des coiffures féminines démodées, au milieu des rochers stratifiés. Même les façons de mourir étaient « d'époque »; d'époque aussi la petite écolière qui écrivait, de son écriture nette, en marge de la dernière lettre écrite par Scott à sa famille : « Et qu'est-ce qui vient après? Est-ce Dieu? Robert Browning. » Dès ce moment, pensai-je, il s'était faufilé dans son esprit. Il avait employé des ruses d'amant et profité d'une humeur éphémère, comme un héros nous séduit par ses invraisemblances et ses légendes. Je remis le dernier livre en place et tournai la clef dans la serrure.

CHAPITRE VII

— Où étiez-vous donc passé, Henry? demandai-je.

Il arrivait généralement le premier au petit déjeuner et quittait même parfois la maison avant que je fusse descendu, mais ce matin son assiette était intacte et j'avais entendu la porte de la rue se fermer doucement avant de le voir paraître.

— Oh! je suis allé au bout de la rue, répondit-il d'un ton vague.

— Avez-vous passé la nuit dehors? demandai-je.

— Non, bien sûr que non.

Et pour se disculper de cette accusation, il m'avoua la vérité. Le Père Crompton avait dit une messe pour Sarah.

— Il n'a pas renoncé!

— Une fois par mois. J'ai pensé qu'il était poli de faire acte de présence.

— Je suppose qu'il ne s'est même pas aperçu que vous y étiez.

— Je suis allé le trouver après, pour le remercier. En fait, je l'ai invité à dîner.

— Alors, je dînerai dehors.

— Vous me feriez plaisir en restant, Bendrix. Après tout, à sa manière, c'était un ami de Sarah.

— Vous n'allez pas devenir croyant, vous aussi, Henry?
— Jamais de la vie. Mais ils ont les mêmes droits que nous à avoir une opinion.

Il vint donc dîner. Laid, blafard, empoté, avec son nez à la Torquemada, c'était l'homme qui avait éloigné Sarah de moi. Il l'avait encouragée à tenir un absurde serment qui méritait d'être oublié au bout d'une semaine. C'était dans son église qu'elle était allée sous la pluie, à la recherche d'un refuge et qu'elle avait « attrapé la mort ». Il m'était pénible de lui témoigner même une banale politesse, aussi Henry dut-il porter tout le fardeau du repas. Le Père Crompton n'avait pas l'habitude de dîner en ville. On avait l'impression que c'était pour lui une obligation sur laquelle il avait du mal à concentrer ses idées. Son stock de menus propos était très limité, et ses réponses tombaient comme des arbres en travers de la route.

— Vous avez beaucoup de misère dans ce quartier, je suppose, dit Henry, qui arrivé au fromage commençait à se fatiguer.

Il avait essayé tellement de sujets: l'influence des livres, le cinéma, un récent voyage en France, la possibilité d'une troisième guerre.

— Le problème n'est pas grave, dit le Père Crompton.

Henry fit un visible effort.

— L'immoralité? demanda-t-il avec la légère fausse note que nous ne pouvons éviter en prononçant ce mot.

— Ce n'est jamais un problème, répliqua le Père Crompton.

— Je pensais que peut-être... sur les Allées, le soir, on voit, de temps en temps, des choses...
— Ces choses-là arrivent partout où l'on peut se promener en plein air. D'ailleurs nous sommes en hiver.

Et ce fut un point final.

— Un peu plus de fromage, mon père?
— Non, merci.
— Je suppose que, dans un quartier comme celui-ci, vous avez beaucoup de difficulté à ramasser de l'argent, je veux dire pour vos charités.
— Les gens donnent ce qu'ils peuvent.
— Un peu d'alcool avec votre café?
— Non, merci.
— Cela ne vous choque pas si nous...
— Pas le moins du monde. Moi, cela m'empêche de dormir, voilà tout, et je dois me lever à six heures.
— Pour quoi faire?
— La prière. On s'y habitue.
— Je crains de n'avoir jamais été capable de prier, dit Henry, depuis mon enfance. Et je priais alors pour obtenir de faire partie de la seconde équipe de quinze.
— L'avez-vous obtenu finalement?
— Je suis entré dans la troisième. J'ai bien peur que ces prières-là ne vaillent pas grand-chose. Qu'en dites-vous, mon père?
— N'importe quelle prière vaut mieux que l'absence de prière. C'est une façon de reconnaître la puissance de Dieu, et c'est à mon avis une façon de le louer.

Il n'en avait pas dit autant en une seule fois depuis le début du repas.

— J'aurais pensé, dis-je, que cela ressemblait davantage au fait de toucher du bois ou d'éviter de marcher sur les lignes du trottoir. A cet âge-là, en tout cas.

— Oh! bien, dit-il, je ne suis pas contre la pratique de quelques petites superstitions. Elles donnent aux gens l'impression qu'il existe un autre monde que celui-ci. (Il me lança, le long de son nez, un regard de courroux.) Cela pourrait être le commencement de la sagesse.

— Votre Eglise encourage indubitablement la superstition sur une vaste échelle: saint Janvier, les statues qui saignent, les apparitions de la Vierge... toutes ces histoires.

— Nous essayons de faire un tri. Et il n'est pas plus sensé de croire que *n'importe quoi* peut se produire, plutôt que...

On sonnait à la porte d'entrée.

— J'ai permis à la bonne d'aller se coucher, voulez-vous m'excuser, mon père?

— J'y vais, dis-je.

J'étais content d'échapper à l'oppression de cette présence. Ses réponses tombaient trop juste à point. Un amateur n'avait aucune chance de le prendre en faute et il finissait par être ennuyeux, comme un prestidigitateur, à force d'excessive adresse. J'ouvris la porte de la rue et j'y trouvai une grosse dame en noir qui tenait un paquet. Je crus que c'était notre femme de ménage, jusqu'au moment où elle demanda:

— Monsieur, êtes-vous Mr Bendrix?

— Lui-même.

— On m'a dit de vous remettre ça.

Et elle me fourra brusquement le paquet dans la main, comme s'il avait contenu un explosif.

— De la part de qui?

— De Mr Parkis, monsieur.

Perplexe, je tournai et retournai l'objet. Il me vint même à l'esprit que ce devait être une pièce à conviction qu'il avait égarée et qu'il me faisait tenir trop tard. J'aurais voulu oublier Mr Parkis.

— Pourriez-vous me donner un reçu, monsieur? J'avais ordre de vous remettre la chose en mains propres.

— Je n'ai ni crayon ni papier. Je ne vais certainement pas me déranger pour ça.

— Vous savez comment est Mr Parkis pour ce qui est des écritures, monsieur. J'ai un crayon dans mon sac.

J'écrivis sur le dos d'une vieille enveloppe le reçu que je lui tendis. Elle le rangea avec soin, puis se hâta de repasser la grille comme si elle désirait fuir aussi loin et aussi vite que possible. Je restai dans le vestibule à soupeser l'objet que je tenais à la main. De la salle à manger, Henry m'appela:

— Qu'est-ce que c'est, Bendrix?

— Un paquet de Parkis, criai-je. (On aurait dit un exercice de prononciation.)

— Sans doute, ce livre qu'il me rend.

— A une heure semblable? Et puis, c'est adressé à moi.

— Eh bien! alors, qu'est-ce que c'est?

Je n'avais pas envie d'ouvrir le colis: n'étions-nous pas tous les deux attelés à la pénible tâche d'oublier? Je croyais avoir été suffisamment châtié de ma visite à l'Agence Savage. J'entendis la voix du Père Crompton:

— Il faut que je parte maintenant, Mr Miles...
— Il est encore tôt.

Je pensai : « Si je ne rentre pas tout de suite dans la pièce, je n'aurai pas à ajouter mes protestations polies à celles d'Henry et peut-être partira-t-il plus vite. » J'ouvris le colis.

Henry avait raison. C'était un recueil de *Contes de Fées* par Andrew Lang ; glissée entre les pages une feuille de papier à lettres dépassait. Une lettre de Parkis.

Je lus : *Cher Mr Bendrix*, et pensant qu'il s'agissait d'un mot de remerciements, je courus impatiemment aux dernières phrases...

...dans de telles circonstances, je préfère ne pas conserver ce livre chez moi. En espérant que vous voudrez bien expliquer à Mr Miles que ce n'est pas de l'ingratitude de la part de
Votre fidèle   *Alfred Parkis.*

Je m'assis dans le vestibule. J'entendais Henry qui disait :
— Ne croyez pas, mon père, que je n'aie pas l'esprit assez ouvert pour...

Je lus la lettre de Parkis depuis le commencement :

Cher Mr Bendrix, je vous écris à vous, pas à Mr Miles, étant assuré de votre sympathie à la suite de nos relations intimes bien que si tristes, et parce que vous êtes un homme de lettres doué d'imagination et habitué aux plus étranges événements. Vous savez que mon petit garçon vient d'être très malade. Hor-

ribles douleurs de ventre et n'étant pas causées par les crèmes glacées j'ai eu très peur de l'appendicite. Le docteur parlait d'opérer, ça ne peut pas faire de mal, mais moi j'avais très peur du bistouri pour mon pauvre enfant, sa mère étant morte des suites, à cause d'une négligence c'est sûr et qu'est-ce que je ferais si je perdais mon petit garçon de la même manière? Je serais seul au monde. Excusez tous ces détails, Mr Bendrix, mais dans mon métier nous sommes dressés à mettre les choses en ordre et à expliquer en premier ce qui doit venir en premier, pour que le juge ne prétende pas qu'on ne lui a pas exposé les faits clairement. Alors, lundi, j'ai dit au docteur attendons un peu d'être absolument certain. Moi je pense quelquefois que c'est le froid, à force de rester dehors quand nous guettions la maison de Mrs Miles, et vous me pardonnerez de vous dire que c'était une dame d'une grande bonté et qui aurait mérité qu'on la laisse tranquille. On ne peut pas faire le difficile dans mon métier, mais dès le premier jour dans Maiden Lane, j'aurais voulu être chargé de surveiller une autre dame qu'elle. Quoi qu'il en soit mon fils a été terriblement bouleversé en apprenant que la pauvre dame était morte. Elle ne lui avait parlé qu'une fois, mais je crois qu'il s'était mis dans la tête que sa maman était comme elle, ce qui n'est pas exact, pourtant une bien brave femme à sa manière et qui me manque cruellement tous les jours de ma vie. Eh bien quand il a eu 39.8 de température, ce qui est beaucoup pour un petit enfant comme lui, il s'est mis à parler à Mrs Miles comme il avait fait dans la rue, mais il lui racontait qu'il la surveillait ce qu'il n'aurait jamais fait dans la réalité, ayant de l'amour-propre professionnel, même si jeune. Et quand elle le quittait, il se mettait à pleurer. Et puis il s'endormait. A son réveil, il avait encore 39.4, il a demandé un cadeau qu'elle lui avait promis dans son rêve. C'est à cause de ça que j'ai dérangé Mr Miles et que je lui ai menti, j'en ai des remords n'ayant pas d'excuse professionnelle, seulement mon pauvre petit.

Quand j'ai eu le livre, je le lui ai donné et il s'est calmé. Mais j'étais tourmenté parce que le docteur disait qu'il ne voulait plus courir de risques et qu'il fallait l'envoyer à l'hôpital mercredi et s'il y avait eu un lit de libre il l'aurait fait entrer le soir même. Si bien que je n'ai pas pu dormir du souci que je me faisais à cause de ma pauvre femme et de mon petit garçon et cette peur que j'ai du bistouri. Je n'ai pas honte de vous dire, à vous Mr Bendrix, que j'ai prié de toutes mes forces. J'ai prié Dieu et puis j'ai prié ma femme de faire ce qu'elle pouvait parce que si le ciel existe elle y est, et j'ai demandé à Mrs Miles, si elle y était aussi, de faire ce qu'elle pourrait. Eh bien, si un homme adulte peut agir ainsi, Mr Bendrix, vous pouvez comprendre que mon petit garçon imaginait des choses. Quand je me suis éveillé ce matin, il avait 37.5 de température et il ne souffrait plus et quand le docteur est venu, il n'y avait plus de point sensible, alors il a dit qu'on pouvait attendre un peu, et le petit s'est senti bien toute la journée. Seulement il a raconté au docteur que c'était Mrs Miles qui était venue et lui avait enlevé son mal en lui touchant le côté droit du ventre (si vous voulez bien excuser cette *inconvenance), et qu'elle avait écrit des choses pour lui dans le livre. Mais le docteur a dit qu'il lui fallait beaucoup de calme et que ce livre le surexcite; alors dans de telles circonstances je préfère ne pas conserver ce livre chez moi...*

En tournant la page je trouvai ce post-scriptum:

Il y a quelque chose d'écrit dans ce livre mais il est facile de voir que cela date d'il y a très très longtemps, de quand Mrs Miles était une petite fille; je ne peux pas expliquer cela à mon petit garçon de crainte que son mal ne revienne. Respectueusement, A. P.

Je regardai la page de garde du volume et je reconnus les lettres maladroites tracées au crayon-encre que j'avais trouvées dans les autres livres où l'enfant Sarah Bertram avait inscrit ses maximes.

Ce livre par Lang me vient de maman
Elle me l'a acheté quand j'étais couchée
Si quelqu'un de bien portant le prend
Il sera puni sévèrement.
  Mais si tu es malade au lit
  Tu le lis et tu te guéris.

J'emportai le tout et revins dans la salle à manger.
— Qu'est-ce que c'était au juste? demanda Henry.
— Ce livre, dis-je. Avant de le donner à Parkis aviez-vous lu ce que Sarah y avait écrit?
— Non. Pourquoi?

— Une coïncidence, voilà tout. Il paraît qu'on n'a pas besoin d'appartenir à la doctrine du Père Crompton pour être superstitieux.

Je donnai la lettre à Henry qui la lut, puis la passa au Père Crompton.

— Je n'aime pas ça, dit Henry. Sarah est morte. Je déteste qu'on se serve d'elle de cette manière.

— Je sais ce que vous voulez dire: c'est aussi mon sentiment.

— C'est comme si j'entendais des étrangers la critiquer.

— On ne dit pas de mal d'elle dans cette lettre, dit le père. Il faut décidément que je parte, ajouta-t-il. (Mais il restait à sa place, son regard ne quittait pas la lettre posée sur la table.) Et l'inscription?

Je poussai le livre vers lui.

— Oh! elle y est depuis des années. Sarah marquait la plupart de ses livres de ces petits poèmes, comme le font tous les enfants.

— Le temps est une chose étrange, dit le Père Crompton.

— Naturellement le petit garçon n'a pas pu comprendre que ces mots avaient été écrits dans le passé.

— Saint Augustin demandait d'où venait le temps. Il disait: « Le temps sort de l'avenir qui n'existe pas encore, pénètre dans le présent qui n'a pas de durée et disparaît dans le passé qui a cessé d'exister. » Je ne sache pas que nous comprenions le temps mieux qu'un enfant.

— Je ne voulais pas suggérer...

— Oh! bien, dit-il en se levant, il ne faut pas prendre

la chose trop à cœur, Mr Miles; elle ne fait que prouver que votre épouse était une femme de bien.
— Cela ne m'est pas d'un grand secours, voyez-vous. Elle appartient au passé qui a cessé d'exister.
— L'homme qui a écrit cette lettre est plein de bon sens. Il est bon de prier les morts, en même temps qu'on prie pour eux.
Il répéta:
— C'était une femme de bien.
Tout d'un coup je perdis patience. Je crois que ce qui m'irritait surtout, c'était sa fatuité, le sentiment qu'aucun argument intellectuel ne pourrait jamais le toucher, sa prétention de connaître intimement une personne qu'il avait vue quelques heures, ou quelques jours, tandis que nous avions vécu près d'elle pendant des années.
— Elle n'était rien de semblable.
— Bendrix, s'écria vivement Henry.
— Elle était capable de mettre des œillères aux yeux de n'importe quel homme, continuai-je, même aux yeux d'un prêtre. Elle vous a trompé, mon père, de la même façon qu'elle nous a trompés, son mari et moi. C'était une fieffée menteuse.
— Elle n'a jamais prétendu être autre chose que ce qu'elle était.
— Je n'étais pas son seul amant...
— Arrêtez, dit Henry, vous n'avez pas le droit...
— Laissez-le, dit le Père Crompton. Laissez délirer ce pauvre homme.
— Je n'ai pas besoin de votre pitié professionnelle, mon père, gardez-la pour vos pénitents.

— Vous ne pouvez m'imposer le choix de ceux à qui j'accorde ma pitié, Mr Bendrix.
— Qui la voulait la prenait.
J'aurais tant voulu croire à ce que je disais : je n'aurais plus souffert de ce vide et de ces regrets. Je n'aurais plus été lié à elle, où qu'elle fût. J'aurais été libre.
— Et vous ne pouvez rien m'apprendre sur la pénitence, Mr Bendrix. J'ai vingt-cinq ans de confessionnal. Il n'est pas un seul de nos actes qui n'ait été accompli déjà par quelque saint.
— Je n'ai à me repentir de rien si ce n'est d'avoir échoué. Retournez à vos ouailles, mon père, retournez à votre petite boîte, et à vos dizaines de chapelet, nom de Dieu !
— Vous m'y trouverez le jour où vous aurez besoin de moi.
— Moi, besoin de vous ! Mon père, je ne voudrais pas être grossier, mais je ne suis pas une Sarah... pas moi.
— Je suis désolé, mon père, dit Henry très gêné.
— Vous n'avez aucune raison de l'être. Je sais reconnaître un homme qui souffre.
Je n'avais pas pu percer la peau coriace de sa suffisance. Je repoussai ma chaise en arrière et dis :
— Vous vous trompez, mon père. Ceci n'a pas la subtilité de la souffrance. Je ne souffre pas, je hais. Je hais Sarah, parce que c'était une petite grue, et je hais Henry parce qu'elle a refusé de le quitter, et je vous hais, vous et votre Dieu imaginaire, parce que vous nous l'avez enlevée.
— Vous avez de grandes possibilités de haine ! dit le Père Crompton.

Mon impuissance à leur faire du mal m'avait fait monter les larmes dans les yeux.
— Allez tous vous faire foutre! criai-je.
Et, claquant la porte derrière moi, je les enfermai ensemble. « Qu'il fasse dégouliner sa sainte sagesse sur Henry, pensai-je, moi je préfère être seul. Je veux qu'on me laisse seul. Si je ne peux plus t'avoir, je resterai toujours seul. Oh! je suis capable de croire, autant que n'importe qui. Je n'aurais qu'à fermer assez longtemps les yeux de mon esprit pour arriver à croire que tu es venue, la nuit, apporter au petit garçon de Parkis ton toucher qui donne la paix. Le mois dernier, au four crématoire, je t'ai demandé de sauver cette jeune fille du danger qu'elle courait avec moi et tu as poussé ta mère entre nous... c'est, du moins, ce que ces gens pourraient dire. Mais si je me mets à croire cela, il faudra que je croie à ton Dieu. Il faudra que j'aime ton Dieu et j'aime mieux aimer les hommes avec qui tu as couché. »

Il faut que je sois raisonnable, me dis-je, en montant dans ma chambre. Voilà longtemps maintenant que Sarah est morte. On ne continue pas à aimer une morte avec cette intensité; il faut garder ça pour les vivants, or elle n'est pas vivante, elle ne peut pas être vivante. Je ne dois pas croire qu'elle est vivante. Je m'allongeai sur le lit, fermai les yeux et essayai d'être raisonnable. Si je la hais aussi fort qu'il m'arrive de la haïr, comment puis-je l'aimer? Peut-on vraiment aimer et haïr à la fois? Ou n'est-ce que moi-même que je hais? Je hais les livres que j'écris, avec leur futile et banale habileté; je hais en moi l'esprit artisan si avide de copie que j'ai commencé à séduire une femme que je n'aimais pas, à cause des renseignements qu'elle pouvait me fournir; je hais ce corps capable de jouir mais impuissant à exprimer les émotions du cœur, et je hais mon esprit soupçonneux qui te fit surveiller par un Parkis couvrant de poudre les boutons de sonnette, fouillant ta corbeille à papier, cambriolant tes secrets.

Du tiroir de ma table de chevet, je tirai le Journal de Sarah et je l'ouvris au hasard. A une page datée de janvier dernier, je lus: « Oh! Dieu, si je pouvais vraiment vous haïr, que cela signifierait-il? » Et je pensai: haïr Sarah, c'est simplement aimer Sarah, et me haïr c'est m'aimer. Je ne mérite pas la haine. Maurice Bendrix, auteur de *L'Hôte ambitieux, L'Image couronnée, La Tombe au Bord de l'Eau*, Bendrix le gribouilleur. Rien, pas même Sarah, ne mérite notre haine, si Vous existez, hormis Vous. « J'ai parfois cru que je haïssais Maurice, mais l'aurais-je haï si je ne l'avais pas aimé en même temps? Oh! Dieu, si je pouvais vraiment vous haïr... »

Je me rappelai que Sarah avait prié le Dieu en qui elle ne croyait pas, et voilà que je parlais à la Sarah en qui je ne croyais pas. « Tu nous as sacrifiés un jour, toi et moi, lui dis-je, pour me ramener à la vie, mais quelle sorte de vie est celle où tu n'es pas? C'est tout naturel que tu aimes Dieu. Tu es morte. Tu l'as près de toi. Moi, je suis dégoûté de la vie et je suis pourri de santé. Si je me mets à aimer Dieu, il ne me suffira pas de mourir. Il faut que je trouve une solution. Ce qu'il me fallait, c'est te toucher avec mes mains, te goûter avec ma langue: on ne peut aimer et rester sans rien faire. Il ne sert à rien de me dire: « Rassurez-vous », comme tu l'as fait une fois en rêve. Si je me mettais à aimer de cette manière, ce serait la fin de tout. Quand je t'aimais, j'en perdais l'appétit et je ne désirais plus les autres femmes; mais si je L'aime je ne trouverai plus de plaisir à rien, puisqu'Il sera loin. J'y perdrai jusqu'à mon travail. Je cesserai d'être Bendrix. Sarah, j'ai peur. »

Cette nuit-là, je m'éveillai à deux heures du matin. Je descendis à la cuisine manger quelques biscuits et boire un verre d'eau. Je regrettais d'avoir parlé de Sarah en ces termes, devant Henry. Le prêtre avait dit que nous ne pouvons rien faire que quelque saint n'ait déjà fait. Cela peut être vrai du meurtre et de l'adultère, les péchés spectaculaires, mais un saint s'est-il jamais rendu coupable d'envie et de bassesse? Ma haine est aussi médiocre que mon amour. J'ouvris doucement la porte et regardai Henry. Il s'était endormi en laissant la lumière allumée et son bras abritait ses yeux. Ces yeux cachés rendaient tout son corps anonyme. Ce n'était plus qu'un homme, l'un de nous. Il faisait penser au premier cadavre de soldat ennemi, indéfinissable, qu'on rencontre sur un champ de bataille; ni Blanc, ni Rouge, seulement un être humain, comme moi-même. Je posai deux biscuits à côté de son lit pour le cas où il s'éveillerait et j'éteignis sa lampe.

CHAPITRE VIII

Mon livre n'avançait pas (quelle perte de temps me paraissait être l'acte d'écrire, mais je ne connaissais pas d'autre moyen d'utiliser ce temps), et j'allai me promener sur les Allées pour écouter les orateurs. Il y avait un homme que je me rappelais parce qu'avant la guerre je le trouvais parfois amusant et je fus content de constater qu'il était revenu sur son perchoir. Il n'avait pas de message à transmettre, à l'instar des harangueurs politiques ou religieux; c'était un ancien acteur et il se contentait de raconter des anecdotes et de réciter des bouts de poèmes. Il mettait au défi l'auditoire de le prendre en défaut en lui demandant n'importe quelle œuvre poétique. « *The Ancient Mariner* » criait une voix, et sur-le-champ, avec beaucoup d'emphase, il nous en récitait un quatrain. Un plaisantin réclama le trente-deuxième sonnet de Shakespeare; l'homme récita quatre vers au petit bonheur et quand le plaisantin protesta, il lui répondit:

— Votre édition n'est pas la bonne.

Je me retournai pour examiner les autres auditeurs et j'aperçus Smythe. Peut-être m'avait-il vu le premier, car il avait tourné de mon côté son beau profil, la joue que Sarah n'avait pas baisée; quoi qu'il en soit, il évitait mon regard.

Pourquoi éprouvais-je toujours le désir de parler aux gens que Sarah avait connus? Je me frayai un chemin jusqu'à lui et dis:

— Bonjour, Smythe.

Il plaqua un mouchoir sur le mauvais côté de son visage et se tourna vers moi.

— Oh! c'est vous, Mr Bendrix, dit-il.

— Je ne vous ai pas vu depuis les obsèques.

— J'ai été absent.

— Est-ce que vous ne parlez plus ici?

— Non.

Il hésita, puis ajouta à contrecœur:

— J'ai renoncé à parler en public.

— Mais vous donnez toujours des consultations chez vous?

J'insistais par taquinerie.

— Non, j'ai aussi abandonné cela.

— Mais vos opinions n'ont pas changé, j'espère?

— Je ne sais plus que croire, répondit-il d'un air morose.

— Rien. N'était-ce pas cette cause même que vous défendiez?

— C'était cette cause.

Il bougea un peu pour se dégager de la foule et je me trouvai de son mauvais côté. Je ne pus résister au plaisir de le taquiner encore.

— Avez-vous mal aux dents? lui demandai-je.

— Non, pourquoi?

— Vous en avez tout l'air. Avec ce mouchoir.

Sans répondre, il écarta son mouchoir. Il n'y avait plus de laideur à cacher. Sa peau apparaissait comme neuve et très jeune : il n'y restait plus qu'une seule tache insignifiante.

— Je suis fatigué de donner des explications quand je rencontre des gens de connaissance, dit-il.

— Vous avez trouvé un remède?

— Oui, je vous ai dit que je m'étais absenté.

— Dans une clinique?

— Oui.

— Une opération?

— Pas exactement.

Il ajouta de mauvaise grâce :

— Cela se fait par attouchements.

— Une guérison miraculeuse?

— Je n'ai pas la foi. Jamais je n'irais chez un guérisseur.

— Qu'est-ce que c'était? De l'urticaire?

Il expliqua, d'un air vague et pour clore l'entretien:

— Méthodes modernes. Electricité.

Je regagnai la maison où je fis un nouvel effort pour me concentrer sur mon livre. Quand je commence à écrire, il y a toujours un de mes personnages qui se refuse à naître. Il ne présente rien de psychologiquement faux, mais il ne veut pas vivre, il faut le bousculer dans tous les sens, lui trouver un langage spécial; je dois employer toute l'habileté technique que j'ai acquise au cours de mes années laborieuses pour le faire paraître réel aux yeux de mes lecteurs. J'éprouve parfois une satisfaction amère lorsqu'un critique salue ce personnage comme le mieux campé de l'histoire;

s'il n'a pas été campé, il a sans aucun doute été traîné de force. Il pèse lourdement sur mon cerveau au début de mon travail comme un repas mal digéré vous reste sur l'estomac, me privant du plaisir de la création dans toutes les scènes où il est présent. Il ne fait jamais de choses inattendues, il ne me surprend jamais, il ne prend pas d'initiatives. Tous les autres personnages m'aident, lui ne fait que me gêner.

Et cependant, je ne puis me passer de lui. J'imagine fort bien un Dieu éprouvant ce même sentiment à l'endroit de certains d'entre nous. Les saints, pourrait-on supposer, se créent eux-mêmes, pour ainsi dire. Ils vivent d'une vie spontanée. Ils sont capables d'une parole ou d'une action surprenantes. Ils se tiennent en dehors de l'intrigue et ne dépendent pas d'elle. Mais nous, il faut nous pousser dans tous les sens. Nous avons l'entêtement de la non-existence. Nous sommes inextricablement liés à l'intrigue et, dans sa lassitude, Dieu nous place de force, çà et là, selon sa volonté, personnages dénués de poésie, de libre arbitre, dont la seule importance est que parfois, à quelque endroit, nous aidons à meubler la scène sur laquelle bouge et parle un personnage vivant, et que nous donnons peut-être aux saints, de cette manière, l'occasion d'exercer *leur* libre arbitre.

Je fus heureux d'entendre le bruit de la porte d'entrée, suivi des pas d'Henry dans le vestibule. C'était une excuse pour m'interrompre. Ce personnage pouvait rester dans son inertie jusqu'au lendemain matin : c'était enfin l'heure d'aller aux Armes-de-Pontefract. J'attendis son appel (au bout d'un mois, nous étions déjà aussi installés dans nos habitudes que deux vieux garçons qui cohabitent depuis des années), mais il n'appela pas et je l'entendis entrer dans son bureau. Au bout d'un moment, je l'y rejoignis: mon verre de bière me manquait.

Ce que je vis me rappela le premier jour où je l'avais accompagné chez lui. Il était assis, tourmenté, abattu, à côté du Discobole vert, mais cette fois-ci je ne ressentais en le regardant ni envie, ni plaisir.

— Nous allons boire quelque chose, Henry?

— Oui, oui, bien sûr. Je voulais simplement changer de chaussures.

Il avait des chaussures pour la ville et pour la campagne, et à ses yeux les Allées étaient la campagne. Il se pencha sur les lacets: il n'arrivait pas à défaire un nœud, ses doigts ont toujours été malhabiles. Il se fatigua de lutter et enleva son soulier en l'arrachant. Je le ramassai et débrouillai le nœud.

— Merci, Bendrix.

Peut-être, si petit qu'il fût, cet acte de camaraderie lui donna-t-il confiance, car il poursuivit:

— Il m'est arrivé une chose très désagréable au bureau aujourd'hui.

— Racontez-moi ça.

— Mrs Bertram est venue me voir. Je ne crois pas que vous la connaissiez.

— Si. Je l'ai rencontrée l'autre jour.

Quelle étrange expression: l'autre jour, comme si tous les jours étaient semblables, sauf celui-là.

— Nous ne nous sommes jamais très bien entendus.

— C'est ce qu'elle m'a dit.

— Sarah a toujours été extrêmement gentille à cet égard. Elle la tenait à l'écart.
— Est-elle venue pour vous emprunter de l'argent ?
— Oui, elle voulait dix livres, l'histoire habituelle, venue passer la journée à Londres, achats, tout dépensé, banques fermées... Bendrix, je ne suis pas avare, mais les méthodes qu'elle emploie m'irritent tellement ! Elle a deux mille livres de revenus sans charges. C'est presque autant que ce que je gagne.
— Les lui avez-vous données ?
— Oh ! bien sûr. J'en arrive toujours là, mais l'ennui c'est que je n'ai pas pu m'empêcher de la sermonner, ce qui l'a mise en rage. Je lui ai énuméré le nombre de fois qu'elle avait agi de la sorte et le nombre de fois qu'elle m'avait rendu l'argent : c'était facile, rien que la première fois. Elle a sorti son carnet de chèques et m'a déclaré qu'elle allait me rembourser la totalité sur l'heure. Elle était tellement en colère que je suis persuadé qu'elle était sincère. Elle avait réellement oublié qu'elle avait tiré son dernier chèque. Elle avait voulu m'humilier et elle n'avait réussi qu'à s'humilier elle-même, la pauvre femme. Naturellement, sa colère n'a pu qu'empirer après cela.
— Et qu'a-t-elle fait ?
— Elle m'a accusé de ne pas avoir donné à Sarah des funérailles convenables. Elle m'a raconté une étrange histoire...
— Je la connais. Elle me l'a racontée après deux ou trois verres de porto.
— Croyez-vous qu'elle mente ?
— Non.

— C'est une coïncidence extraordinaire, n'est-ce pas ? Baptisée à deux ans, et puis ce commencement de retour à une chose qu'on ne peut même pas se rappeler... c'est comme une maladie infectieuse.

— C'est ce que vous dites : une étrange coïncidence. (J'avais une fois déjà fourni à Henry l'énergie nécessaire, je n'allais pas le laisser faiblir à présent.) J'ai connu des coïncidences encore plus étonnantes, Henry, continuai-je. Au cours de l'année dernière, je m'ennuyais tellement que je suis allé jusqu'à collectionner les numéros d'autos. C'est très instructif sur le sujet des coïncidences. Dix mille numéros possibles et Dieu sait combien de combinaisons de nombres et pourtant, à mainte et mainte reprise, j'ai vu deux voitures portant les mêmes chiffres attendant côte à côte, dans un arrêt de la circulation.

— Oui, je suppose que cela fonctionne de cette manière.

— Je ne perdrai jamais ma foi dans les coïncidences, Henry.

Au premier étage le téléphone sonnait si faiblement que nous ne l'avions pas entendu jusque-là (il n'était pas branché dans le bureau).

— Oh ! mon Dieu, mon Dieu, dit Henry, je ne serais pas du tout étonné que ce soit encore cette femme.

— Laissez-la sonner, dis-je.

Et au même moment la sonnerie s'arrêta.

— Ce n'est pas que je sois avare, dit Henry. En somme, elle ne m'a pas emprunté plus d'une centaine de livres en dix ans.

— Allons boire quelque chose.
— Mais oui. Oh! je n'ai pas mis mes chaussures.
Il se pencha pour les attacher et je vis qu'il avait une tache ronde de calvitie sur le haut de la tête : on eût dit que ses soucis avaient usé la peau à cet endroit pour se frayer un passage, et j'avais été l'un de ses soucis.
— Je ne sais pas ce que je ferais sans vous, Bendrix, dit-il.
Je brossai quelques grains de poussière sur son épaule.
— Bon, bon, Henry...
Mais avant que nous ayons pu bouger, le téléphone se remit à sonner.
— Laissez-le, dis-je.
— J'aime mieux répondre. On ne sait jamais... (Il se leva et il alla jusqu'à son bureau avec ses lacets de souliers qui pendaient.) Allô, allô, ici, Miles.
Il me passa le récepteur :
— C'est pour vous, dit-il, soulagé.
— Allô, oui. Ici, Bendrix.
— Mr Bendrix, dit une voix d'homme. J'ai senti qu'il fallait que je vous appelle. Je ne vous ai pas dit la vérité cet après-midi.
— Qui êtes-vous ?
— Smythe, répondit la voix.
— Je ne comprends pas.
— Je vous ai raconté que j'étais allé dans une clinique. Ce n'est pas vrai, je n'y ai pas mis les pieds.
— Cela ne fait pas la moindre différence en ce qui me concerne, je vous assure.
Sa voix me rattrapa au bout de la ligne :

— Mais si, cela fait une grande différence. Vous ne m'écoutez pas. Je n'ai subi aucun traitement pour mon visage. Il s'est nettoyé, subitement, en une nuit.

— Comment? Je continue à ne...

Il reprit sur un ton solennel de conspiration:

— Vous et moi sommes seuls à savoir comment. Inutile de tourner autour. J'avais tort de vous le cacher: c'est un...

Mais je raccrochai avant qu'il eût pu prononcer ce mot stupide du vocabulaire journalistique qui est l'équivalent de « coïncidence ». Je me rappelai la main aux doigts étroitement refermés et la colère qui m'avait secoué à l'idée qu'on pouvait morceler ainsi les morts, les disperser comme on fait de leurs vêtements. Je pensai: il est si orgueilleux qu'il lui faut toujours une révélation. Dans une ou deux semaines, il en parlera sur les Allées et montrera aux badauds sa joue guérie. Cela paraîtra dans les journaux: « Orateur Rationaliste Converti par Cure Miraculeuse. » J'essayai de rassembler toute ma foi dans la coïncidence, mais la seule vision qui occupait mon esprit était (avec envie, car moi je ne possédais pas de relique) celle de la joue ravagée dormant, la nuit, sur une boucle de cheveux.

— Qui était-ce? demanda Henry.

J'hésitai un moment: allais-je lui dire? Mais je pensai que non. Je n'avais pas confiance en lui. Le Père Crompton et lui formeraient une alliance.

— Smythe, répondis-je.

— Smythe?

— Ce type chez qui Sarah allait quelquefois.

— Que voulait-il?

— Sa figure vient d'être guérie, c'est tout. Je lui avais demandé de me donner le nom du spécialiste. J'ai un ami...
— Traitement électrique?
— Je n'en suis pas sûr. J'ai lu quelque part que l'urticaire est d'origine hystérique. On doit combiner la psychiatrie et le radium.

Mon explication semblait plausible; peut-être, après tout, était-ce la bonne. Une coïncidence de plus. Deux automobiles portant les mêmes chiffres, et je me demandai avec une sensation de lassitude combien de coïncidences il allait encore se produire; sa mère aux obsèques, le rêve de l'enfant. Cela va-t-il continuer, jour après jour? Je me sentais comme un nageur qui a trop présumé de ses forces et qui sent que le flot est plus puissant que lui; mais si je devais me noyer, du moins j'allais maintenir jusqu'au dernier moment la tête d'Henry au-dessus de l'eau. N'était-ce pas, après tout, mon devoir d'ami, car si cette histoire n'était pas démentie, si les journaux s'en emparaient, nul ne pouvait savoir où cela s'arrêterait. Je me rappelai l'histoire des roses de Manchester; il avait fallu longtemps pour que cette imposture fût traitée comme elle le méritait. Les gens de notre époque sont si déséquilibrés. Cela susciterait des chasseurs de reliques, des prières, des processions; Henry n'était pas un inconnu. Le scandale serait immense. Et tous les journalistes poseraient des questions sur la vie intime du ménage; ils exhumeraient cet épisode étrange du baptême près de Deauville. Connaissant la vulgarité de la presse religieuse, je pouvais imaginer les titres de leurs journaux, et ces titres annonceraient d'autres « miracles ». Il fallait étouffer cela dans l'œuf.

Je me rappelai le Journal intime qui reposait en haut dans mon tiroir et je pensai: « Il faut que cela aussi disparaisse, car ils pourraient l'interpréter à leur manière. » On eût dit qu'afin de la conserver pour nous seuls, nous étions contraints de détruire ses traits un à un. Même ses livres d'enfant avaient contenu un danger. Il y avait des photos, celle qu'Henry avait prise; il ne fallait pas que la presse en eût connaissance. Pouvait-on se fier à Maud? Henry et moi, nous avions essayé de construire à nous deux un semblant de foyer et même cela devait être détruit.

— Alors, allons-nous boire? demanda Henry.

— Je vous rejoins dans un instant.

Je montai dans ma chambre et sortis le Journal. J'en arrachai les couvertures. Elles résistèrent: la doublure de toile s'effilochait en lanières, j'avais l'impression d'écarteler un oiseau; au bout d'un instant, le journal gisait sur le lit en une masse compacte de papier, blessé, les ailes arrachées. La dernière page était sur le dessus et je relus: « Vous étiez présent et Vous nous enseigniez à dissiper notre trésor afin qu'aujourd'hui rien ne nous reste que cet amour pour Vous. Mais Vous me montrez trop de bonté. Quand je Vous demande la souffrance Vous me donnez la paix. Donnez-la-lui, à lui aussi. Donnez-lui ma paix... il en a plus besoin que moi. »

Je pensai: « Voici pour le moins une de tes prières, Sarah, qui n'aura pas été exaucée. Ici, tu as échoué. Je n'ai pas de paix, et je ne ressens pas d'amour, sauf pour toi, toi. Je suis un homme de haine », lui dis-je. Mais je n'éprouvais pas une grande haine. J'avais parlé de l'hystérie des gens, et mes propres paroles étaient bien excessives. Leur absence de sincérité m'était perceptible. Mon sentiment dominant était moins la haine que la peur. « Car si ce Dieu existe, pensais-je, si même toi, avec ta lascivité, tes adultères, et les timides mensonges que tu proférais, si tu es capable de changer ainsi, alors nous pouvons tous devenir des saints, rien qu'en faisant le saut, comme tu l'as fait, en fermant les yeux et en sautant une fois pour toutes : si, *toi*, tu es une sainte, il n'est pas très difficile de l'être. C'est une chose qu'Il peut exiger de chacun de nous : sauter. Mais je ne veux pas faire le saut. » Je m'assis sur mon lit et je dis à Dieu : « Vous me l'avez prise, mais Vous ne me tenez pas encore. Je connais Votre astuce. C'est Vous qui nous emmenez jusqu'au sommet d'une montagne pour nous offrir tout l'univers. Vous êtes un démon, Dieu, de nous tenter ainsi pour nous faire sauter. Mais je ne veux pas de Votre paix et je ne veux pas de Votre amour. Je voulais quelque chose de très simple et de très facile : je voulais que Sarah fût mienne toute la vie, mais Vous l'avez emportée. Par Vos grandes entreprises, Vous détruisez notre bonheur comme un moissonneur détruit un nid de souris : Je Vous hais, Dieu, je Vous hais comme si Vous existiez. »

Je regardai le bloc de papier. Il était plus impersonnel qu'une mèche de cheveux. On peut toucher des cheveux avec ses lèvres et ses doigts et j'étais fatigué à mort des choses de l'esprit. J'avais vécu pour le corps. Mais son Journal était tout ce qui me restait aussi le remis-je en place dans le placard, car n'aurait-ce pas été une victoire de plus pour Lui si je m'étais privé d'elle encore plus complètement en détruisant ces feuillets ? Je dis à Sarah : « C'est bon, ce sera comme tu le désires. Je crois que tu vis et qu'Il existe, mais toutes tes prières ne suffiront pas à changer en amour ma haine pour Lui. Il m'a dépouillé, et comme ce roi dont tu écrivais l'histoire, je Lui déroberai ce qu'Il aime en moi. Je ne puis être guéri comme Smythe et le petit Parkis. La haine est dans mon cerveau, non dans mon ventre ou dans ma peau. Elle ne peut s'enlever comme une escarbille ou un point douloureux. Est-ce que je ne te haïssais pas, alors que je t'aimais ? Est-ce que je ne me hais pas moi-même ? »

Je criai à Henry :

— Je suis prêt.

Et nous nous mîmes en route côte à côte, pour les Armes-de-Pontefract de l'autre côté des Allées. Les lumières étaient éteintes et les amoureux se rencontraient au croisement des routes ; de l'autre côté de la pelouse se dressait la maison au perron démoli où Il m'avait rendu à cette vie mutilée et sans espoir.

— Ces promenades du soir avec vous me donnent beaucoup de joie, dit Henry.

— Oui.

Je pensais : « Demain matin, je téléphonerai à un docteur pour lui demander si la guérison par la foi est possible. » Et puis, je pensais : « Non, il vaut mieux n'en rien faire, tant qu'on ne *sait* pas, on peut imaginer d'innombrables façons de guérir... » Je posai ma main sur le bras d'Henry, et l'y laissai; il me fallait être fort pour deux désormais et Henry n'était pas encore sérieusement inquiet.

— Ce sont, à vrai dire, mes seules joies, dit-il.

J'ai écrit au début que ceci était un récit de haine. En marchant à côté d'Henry, tandis que nous allions boire notre verre de bière de chaque soir, je trouvai la seule prière qui parût convenir à mon humeur d'hiver: « O Dieu, Vous en avez fait assez. Vous m'avez assez dépouillé. Je suis trop vieux et trop fatigué pour apprendre à aimer, laissez-moi tranquille à tout jamais. »

(Edition originale 1951.)

L'impression de ce livre
a été réalisée sur les presses
des Imprimeries Aubin
à Poitiers/Ligugé

pour les Editions Robert Laffont

Achevé d'imprimer le 29 février 1976
N° d'édition, 6030. — N° d'impression, 6200
Dépôt légal, 1ᵉʳ trimestre 1976